「家庭料理」という戦場
暮らしはデザインできるか？

久保明教
KUBO Akinori

Kotoni Sha

はじめに——毎日違う料理を作るんだ！

一五年ほど前のある日の晩、私は大学院ゼミの飲み会に参加していた。結婚を機に大学院をやめることになった先輩の送迎会だった。「私、結婚したら毎日違う料理を作るんだ！」と彼女は嬉しそうに宣言した。好奇心旺盛で多趣味多芸な人であったから、おそらく先輩は実際に毎日違う料理を作ろうとしたのだろう。

彼女の計画はとても魅力的に思えた。だが、毎日まったく違う料理を作り、食べる暮らしとはどのようなものだろうか。美味しい料理ができたらまた作りたくならないか。昨晩のカレーを朝食に供したらダメだろうか。冷蔵庫に賞味期限まぢかの豆腐を見つけて「今日も冷奴でいいか」とはならないのか。それに、家庭料理には似たような品目が少なくない。ミートボールとハンバーグ、ビーフストロガノフとハヤシライスはまったく別の料理ではないし、細かいアレンジも可能だ。ビーフストロガノフを作ろうとして高い牛肉しか売っていなければ安い豚肉を使えばいい。生活とはそんなものではないだろうか？

先輩の宣言を私がいつまでも忘れられないのは、そこに「暮らしは自由にデザインできる」という新しい発想の輝かしさと苦しさを嗅ぎつけたからだと思う。私自身もまた、学問に携わってきたこの十数年のあいだ、週の半分以上はスーパーに通って夕食を作り、献立に悩んだり、弁当のおかずに苦慮してきた。料理研究家の本やレシピ投稿サイトを調べて目先の変わった料理を作ることは楽しいし、「美味しい」と言われれば嬉しい。だが、毎日まったく違う料理を作ることはなかった。

近所のスーパーで野菜売り場から入りつつ夕飯の献立を考えるとき、私は微かな喜びと確かな苦痛を感じる。さぁ、今日も楽しい料理の時間だ。売り場にはまだ試したことのない多様な商品が並んでいる。スマホを使えば膨大なレシピを検索できる。頑張ればなんでも作れるし、きっと新しい味と出会えるだろう。

だがそれは、限られた予算と時間と疲れた身体が許すかぎりでしかない。目先の変わったレシピは親しい人の口にあわないかもしれない。定番の一品はそろそろ飽きられるかもしれない。生ごみの日はもう過ぎたから骨が残る魚は買いにくい。レタスかキャベツが残っていた気がするが、あれはもう腐っていないか……。あぁ、もう疲れた、今夜は居酒屋にでも行こうか。だけど最近外食が続いたから家で食べたいしなぁ……。

自らの些細な選択が、日々に緩慢な亀裂を刻んでいく。やっぱり毎日ちがう料理を作るなんて無茶な話だ。暮らしとは同じことの繰り返しを丁寧にやりくりしていくことではないのか。だが、それもまた膨大な選択肢のなかで特定の「ルーティン」を選びとることでしかないように思える。微かな希望と絶望を伴って家庭料理が作られ、食べられる場。それは、自らの一挙一動が、極めて間接的な仕方であれ、生と死に関わる戦場である。

本書は、家庭料理をめぐる学問的な考察と日常的な経験を横断しながら綴られている。それは、一面において科学技術の人類学を専門とする筆者が身につけてきた学問的観点から一九六〇年代から二〇一〇年代に至る家庭料理の変遷を記述するものであるが、社会的・文化的背景を周到に配置することでそれを外側から客観的に分析しようとするものではない。本書における題材の選択や考察の切り口は、前述した筆者に固有の日常的経験によって規定されている。だが、本書は一人の生活者としての経験に根ざした主観的な観察に研究者としての知識を添えた学術的エッセイでもない。

本書執筆に先立って、私は一九六〇～二〇一〇年代に刊行された様々なレシピ本を収集し、実際にそれらを参考にしながら多くの料理を作っている。世界各国のマイナーな料理を扱う近年のレシピ本よりも、自分が生まれる前に刊行された料理書のほうが新奇な味に出会うことが多かった。例えば、『江上トミの材料別おかずの手本』(一九七四年、世界文化社)に収められた「小あじのムニエル」は、茹でて裏ごししたジャガイモにバターで炒めた玉ねぎとパセリを混ぜ、生卵を加えて四角に成型してから、背開きにして中骨をとり小麦粉をまぶした小あじに挟んでバターで焼き、茹でたシェルマカロニと輪切りトマトをバターで焼いて添えた料理である。「小あじ、ジャガイモ、トマト」という入手しやすい食材を用いながらもバターを多用した重厚な洋風魚料理であり、焼き付けたトマトのすっぱさとシェルマカロニのもちゃもちゃした触感があわさって大変に美味しい一品となっている。

しかしながら、その「美味しさ」は二〇一〇年代末における筆者の暮らしの中では極めてすわりの悪いものでもあった。手間も時間もかかるわりに見た目は地味だし、副菜や汁物をどうあわせてよいかも分からない。「小あじのムニエル」が御馳走でありえた一九七〇年代前半の状況（高速道路やスーパーによる流通の発展、洋食への憧れ、魚屋の全国的増加など）から遠く離れた現代の食卓において、その味わいはどこか的外れに感じられてしまう。

「小あじのムニエル」を現代風にアレンジすれば、小あじを骨のないサーモンに替え、ジャガイモはレンジで加熱して裏ごしは省き、焼きトマトとシェルマカロニの代わりにミニトマトとベイビーリーフを添え、粒マスタードにマヨネーズを和えたソースをかけた「サーモンのポテトサンド焼き」になるかもしれない（一度試したが調理も簡単で美味しかった）。

だが、この料理は江上レシピのまま何度か食卓に上った。スパイスカレーのような新奇な題材を扱っていても現代に即した調整が施されたレシピと比べて、江上トミの料理には特異な味わいがあり、筆者の暮らしはその味わいを通じて慣れ親しんだものとは異なる諸要素と結びつくことになる。

暮らしも研究も、諸々の要素と多様な関係を結ぶことによって進行する。文献やレシピ本や調理を通じて、筆者は家庭料理をめぐる諸関係の網の目（ネットワーク）をたどってきた。

研究者としても生活者としても、私はそのネットワークに内在しており、外側からそれを客観的に分析することはできない。たしかに、様々な要素と新たな関係をむすぶことを通じてそれらの諸関係を外側から捉える認識は生じる。だが、それは私＝観察者が内在するネットワークの運動が産出する一時的な把握に他ならない。新たな関係をたどることで競合する外在的認識が浮上し、それらの齟齬が新たな要素との関係を導く。私が親しんできた現代の家庭料理レシピは多種多様に思われたが、「小あじのムニエル」の特異な味わいに触れることでそれらの均質性が見えてくる。さながら雑誌『オレンジページ』に載っていそうな「サーモンのポテトサンド焼き」は簡単で美味しいが、味の広がりは著しく限定されている。その認識は、さらに、細やかな下ごしらえ（小あじの中骨をとって背開きにし、ジャガイモを裏ごしするといった作業）が「料理を美味しくするひと手間」とはされ難くなってきた家庭料理をめぐる諸関係の歴史的変容へ観察者を誘っていく。

このように、本書の記述は、客観的観察や主観的経験に基づくものではなく、関係論的に構成されている。ネットワークに内在する観察者が様々な要素と結びつくことによって、そこで生じる外在的な認識が共立し共振しながら変容し、新たな関係性の組み替えが喚起される。学問的論述でもエッセイでもなく、絶えず両者の狭間を動き続けるような本書の記述に対して、困惑や違和感を覚える読者もいるだろう。そもそも家庭料理をめぐる経験や認識は人によって極めて多様であり、それは「これが一般的な家庭料理だ」という認識自体の差異を伴っている。筆者がたどる諸関係が、読者になじみのある諸関係と完全に一致することはないだろう。取り上げる事柄が断片的だと思われるかもしれないし、記述を通じて浮かびあがる価値判断のいくつかは受け入れがたいと思われるかもしれない。

だが、本書は家庭料理という事象をそのような異議や議論を呼ぶものとして提示するために書かれている。各章のあいだに置かれた「実食！　小林カツ代×栗原はるみレシピ対決五番勝負」もまた、具体的なレシピと筆者や友人たちのコメントを通じて——もちろん共感できる箇所も違和を感じる箇所もあるだろうが——本文の記述と読者の経験を関係づけてもらうためのものである。記述を通じて諸関係が組み替えられ、相異なる価値や倫理が浮上し共立し互いに変容していく。そうしたプロセスを通じて、料理や暮らしや学問をめぐる思考と実践を再考し、再構成していく媒介として本書は読者の前に提示されることになる（前著『ブルーノ・ラトゥールの取説』〔月曜社〕の読者には意外と思われるだろうが、本書は、同書で構想した方法論、とりわけ終盤で素描した「汎構築主義」をめぐる論点を具体的事例に即して展開したものである）。

「毎日違う料理を作るんだ！」という先輩の宣言から一五年ほど経過した現在、「暮らしは自由にデザインできる」という発想はより一般的になったように思われる。「自己分析」や「拡張現実」や「ライフハック」といった言葉の広まりは、「自己」や「現実」や「生活」が所与の条件（出身地や階級や社会構造など）によって規定されるものとはみなされなくなってきたことを示している。もちろん、そうした条件がまったく影響力を失ったわけではないが、それらを対象化して分析し拡張し改変することによって、私たちはより自由に自分らしく生きていくことができる。こうした発想が普及し称揚され規範化されるにつれて、「生活」は逃れえない必要性の源泉ではなく、自由なデザインの対象として把握されるようになる。

その結果、生活は学問的分析へと接近する。近年ではインターネットやスマートフォンを通じて専門的知識へのアクセスがより簡易化され、客観的な事実だけでなく学問的な視角自体を生活に導入することが容易になってきた。家事の「見える化」、鍵付きアカウントによる「同調圧力」への抵抗、「消費社会」批判としてのミニマリスト的消費。暮らしを対象化しデザインしていく実践において、生活を分析する学問的視角自体が生活の一部に組み込まれる。社会を外側から観察できるはずの社会科学的知は、それ自体が社会の内部に浸透することによってその俯瞰性を失っていく。だが、外在的な知もまた内在的な諸関係の暫定的産出物だと考えれば、知の再帰性を通じた俯瞰性の喪失は諸関係の内在的な組み替えの可能性へと変換される。家庭料理をめぐる諸関係の変遷をたどることによって異なる認識が共立し、それらの対立や摩擦を伴う相互作用が新たな諸関係の組み替えを喚起していく。その運動の只中において、自らの感覚や思考や営為を捉え直し、再構成してもらう踏み台となるために本書は書かれている。

では、記述をはじめよう。

「家庭料理」という戦場――暮らしはデザインできるか？

目次

はじめに――毎日違う料理を作るんだ！……003

第一章
わがままなワンタンと
ハッシュドブラウンポテト……019

暮らし、見えない足下……021
美味しい時短……027
消費社会下の家庭料理……035
ゆとりの天才……041
静かな戦い……054

実食！
小林カツ代×栗原はるみレシピ対決五番勝負（前半戦）
第1戦　昼の副菜「キューカンバーサラダ×自家製ピクルスミックス」……059
第2戦　昼の主菜「じゃが芋スパゲティ×スパゲッティミートソース」……067

第二章　カレーライスでもいい。ただしそれはインスタントではない

第二章……075
手作りと簡易化……077
村の味……084
毎日がごちそう……088
ねじれた継承……093

贈与の拠点……103

実食！
小林カツ代×栗原はるみレシピ対決五番勝負（後半戦）

第3戦　夜の副菜「大根たらこ煮×じゃがいものニョッキ、レンジトマトソース」……109
第4戦　夜の主菜「食べるとロールキャベツ×煮込みれんこんバーグ」……117

第二章
なぜガーリックはにんにくではないのか？

第二章……125

正しい料理……127
脱構築の末路……132

欲求を知り、満たす……136
にんにくではダメなんです……142
「我が家の味」のデータベース……156
動物的消費の彼方……167
ホワイトキューブのもそもそメシ……178

実食！

小林カツ代×栗原はるみレシピ対決五番勝負（最終戦）

第5戦　夜の汁物「なすとそうめんの汁×かぼちゃの冷たいスープ」……183
レシピ対決五番勝負を終えて……191

おわりに――暮らしはデザインできるか？……197

第一章

わがままなワンタンとハッシュドブラウンポテト

もう他人同士じゃないぜ
あなたと暮らしていきたい
「生活」といううすのろがいなければ
［……］
もう他人同士じゃないぜ
あなたと暮らしていきたい
「生活」といううすのろを乗り越えて

［佐野元春『情けない週末』（一九八三年）より【1】］

暮らし、見えない足下

日々、私たちは分析している。学問的営為に関わっているわけではなくても、自らの能力や心理状態や仕事の進捗や周囲との関係を認識し、考察し、整理した上で次の行動を模索している。世界は私の外部にあり、私の認識の対象であり、考察を通じて介入する客体とされる。もちろん、私たちは常に能動的なわけではない。精神的に、身体的に、能力的に、時間的に圧迫され、様々な思惑と規範と関係性のなかを振りまわされている。でも、それは客体としての私にすぎない。どれほど受動的であるにせよ、それを対象化し分析し介入することはできる。少なくともそう考えて、そうふるまっている人間が少なくないことは、例えば「フェイスブック」の個人ページをざっとスクロールすれば明らかだろう。

学問的な知は、そうした「分析する私」のプロフェッショナルによって産出され、そのアマチュアによって受容される。経済学にせよ、心理学にせよ、社会学にせよ、学問的な知識の作り手と受け手はともに能動的だ。経済的活動や心理的動態や社会的関係は、私の外にあり、認識し分析し——決して容易ではないにせよ——操作す

【1】『情けない週末』の歌詞からの引用については、歌人・穂村弘のエッセイ（穂村弘、二〇〇九『現実入門——ほんとにみんなこんなことを?』、光文社）から着想を得ている。

る対象とされる。

では、それを可能にしているものは何だろうか。乱暴に言えばそれが「暮らし」である。

睡眠をとり、食事をして、体を休める。起きていれば眠くなり、時間が経てば腹が減り、毎日何度かはトイレにいき、他人が煩わしくなれば自分のスペースにひきこもる。全て受動的だ。避けがたい必要性を充足することができてはじめて私たちは受動性を退け、「分析する私」となる。難民になっても学問は続けられると断言する学者を、私は容易に信用しない。学問は主に暮らしへの埋没を回避できる人々によって営まれてきたし、そうであるからこそ、学問的な知は暮らしを言語化するのに向いていない。

学問的分析が図（figure）であるならば、暮らしは「地」（ground）だ。絵画という表現（図）が、額縁という背景（地）を必要とするように[2]、「分析する私」はその背景としての「暮らす私」に依存する。だから、「暮らし」を「分析」することは極めて難しい。特定の暮らしを前提として展開される知は、その前提自体に矛先を向けると意外な弱さを露呈する。それが依存する特定の暮らし方を相対化できず、

【2】グレゴリー・ベイトソン、二〇〇〇『精神の生態学（改訂第二版）』、佐藤良明訳、新思索社、二五八―二七九頁。

ただ倫理的に肯定するに留まるか、あるいは、基底に関わらない枝葉末節を衒学的に言祝ぐだけに終始しかねない。分析対象を「図」として学問的知識を「地」として位置づける通常の分析のあり方が、それが反転しやすい「暮らし」という対象において、しばしば失効してしまうからである。

暮らしは学問的分析の「境界条件」（対象に対する有意な分析がなされうる範囲とそれ以外を分けるために設定される条件）を構成するとも言えるだろう。[3]「分析する私」の視界において何が有効で有意味で有意義か、それは「暮らし」という見えない足下においてやんわりと規定されている。例えば、夢を見たらその解釈のもと直ちに狩りに行くパプアニューギニア・ダリビの暮らし[4]において、夢を無意識の抑圧と結びつけるフロイト流の精神分析は有意性を持たない。あらゆる事象の源泉を個人の内面に求めていく、そういった暮らしを私たちがしている限りにおいて、精神分析は学問的な知となりえた。学問的分析は、境界条件としての暮らしの可変性を捨象し固定化することで一定の客観性を伴った外部観測（外側からの観察と分析）の体裁を整える。近年、精神分析や無意識という概念への学問的参照が減少してきたことは、それが元から学問的妥当性を欠いていたことではなく、私たちの暮

【3】松野孝一郎・上浦基、二〇一四「内部観測 The Origin」『E!-』(1)、エウレカプロジェクト(http://www.eureka-project.jp/#!projects/c10d6)、八―三一頁。

【4】Roy Wagner. 1972. *Habu: The Innovation of Meaning in Daribi Religion*. The University of Chicago Press.

らしが個人の内面の探求を中軸に据えるものではなくなってきたことの帰結である。

ジェンダーや家族を対象とする学問的分析が、その言葉遣いや概念使用の終わりなき再帰的考察に嵌まりやすいのも、しばしば学問ではなくイデオロギーの発露だと揶揄されるのも、しかしながら学問上の変革の契機となってきたことにも確かな理由がある。それらは知を規定する前提を――それに規定されながらも――掘りかえす試みだからだ。暮らしという境界条件の（異郷において調査対象者と共に生活することによる）変動に依拠して学問的分析の前提を掘りかえし拡張する営為として人類学的なフィールドワークを捉えれば、それは異国での長期調査を必須とするものではなくなる。日々様々な年代の家庭料理を作るという筆者の実践に基づく本書の記述もまた――変動の規模こそ小さいものの――そのような意味での人類学的フィールドワークの産物である。ただし、それは、社会科学的分析が成立する範囲を若干逸脱した場所で展開されることになる。学問の暗黙の前提としての「暮らし」において家庭料理が重要な位置を占めており、だからこそ学問的対象としては一見して重要とは思えないものとなっているからだ。

もちろん、ここで扱うのは境界条件としての暮らしそれ自体ではない。私たちの生活を構成する要素のなかでも、料理はとりわけ様々な評価や批判や提言が集中するものとなっており、しばしば「分析する私」の視界に入り込んでくる。だが同時に、家庭料理を分析的に語る様々な言葉は、それらの齟齬や矛盾や変容を通じて境界条件としての暮らしを照らしだすものともなっている。

暮らしは常に変わり続ける。「家庭料理」という言葉からイメージされるものも、激しい変化のなかでつかのま安定した像を結んでいるだけのものにすぎない。にもかかわらず、私たちはそれを脈々と継承された不動のものであるかのようにイメージする。社会構築主義的に言えば家庭料理もまた社会的に構築されるものであり、同時に、社会的構築の基盤をなす暮らしを構築する契機である限りにおいて社会構築主義では捉えられない構築物である。

本書では家庭料理という構築する構築物（あるいは常にその構築性を忘却されることによって成り立つ構築物）を、とりわけ現時点におけるその動態を捉えるために三つの時期を設定する。私たちが現在イメージする家庭料理の基本的な姿が形成され、ある意味でその近代化が完成した一九六〇〜七〇年代の「モダン」な家庭料理、その基本的な形態に対するポストモダニズム的懐疑が提起され改変が試みられた一九八〇～九〇年代の「ポストモダン」な家庭料理、ポストモダニズム的改変の常態化を前提として規範的な家庭料理のあり方が無効化されていく二〇〇〇～二〇一〇年代のいわば「ノンモダン」な家庭料理である。この三つの時期における家庭料理をめぐる様々な言説や実践を精査し、それらの間で生じてきた齟齬や矛盾や変容を追跡することによって、境界条件としての暮らしの変容に光をあてることが試みられる。

もとより、「モダン／ポストモダン／ノンモダン」という区分は便宜的な比喩にすぎないが、家庭料理という暮らしが構築される拠点の一つにおいて何が賭けられ、何が求められ、何が諦められていったのかを捉えるために活用する。それは、家庭料理（「暮らす私」）の軌跡を学問（「分析する私」）の軌跡のパロディとして描くことであるが、同時に、後者を前者のパロディとして照射することでもある。暮らし（図）を分析する知（地）という図式が、分析（図）を駆動する暮らし（地）という図式に転倒されていく。本書は家庭料理を通じて暮らしの変遷を分析するものだが、それによって、何かを分析するという視点それ自体を構成する暮らしの動態を炙りだすことを主眼としている。

今日に続く家庭料理のダイナミズムに掉さすために、本章では、第二の時期から考察をはじめる。確立された家庭料理というフォーマットが突き崩されていく運動、その先駆けとなった一人の料理研究家にまずは焦点を当てよう。

美味しい時短

彼女、小林カツ代は、NHKの料理番組「きょうの料理」への出演を皮切りに日本を代表する料理研究家となりつつあった一九八一年、著書『働く女性のキッチンライフ』において次のように述べている。

> 働く女性が暮らしの部分に目をつぶると、たちまちにして家の中はざらざらし、居心地の悪いものになっていきます。
> ざらつきは、ゴミ、ホコリがたまったという居心地悪さだけでなく、もっと大事なことは夫や子どもとの関係までざらざらしてくるのです。
> かといって、生活全般ぬかりなくなどといったことは、正直いってできかね

るし、息切れしてしまいます。そこで、なるべくぬかりなくやりたい部分を重点的に、効果的にやっていくということで、何はともあれ「食」に目を向けたいのです。

人間、美味しいものを食べていればかなりご機嫌でいられるし、少々のざらつきは大目に見られます。ただし、単に美味しくさえあればいいかというと、人間は感情の動物ゆえ、そうはいい切れません。

たとえば、味のいい店だからと外食やテイクアウトばかりではどうも……ということもあります。

［……］

時間の足りなさゆえに、毎回手のこんだ食事作りは無理にしても、知恵と工夫でカバーしていく、とにもかくにも食生活だけは第一に考えていく。

働く女性のキッチンライフの充実は、仕事を持ち続け、家族ともできるだけのびやかに、快適に過ごすための潤滑油になり得ることだけは確かです。「食を大切にする心」を持てば、かなり広いところから考えていかなくてはならないことがわかります。[5]

【5】小林カツ代、二〇一四『働く女性のキッチンライフ――手早く、うるおいのある食卓の作り方』、大和書房、四―六頁。

この文章は、主に以下四つの要素から構成されている。①生活実感に根ざした感覚的で曖昧な表現（「ざらざら」、「ざらつき」）、②穏やかな愛情表現（「家族ともできるだけのびやかに、快適に過ごす」）、③客観的な観察と分析（「人間は感情の動物ゆえ」、「かなり広いところから考えていかなくてはならない」）、④常識的な理念（「食を大切にする心」）である。もしカツ代の文章が①と②だけで構成されていれば、生活を豊かな表現で綴る良質のエッセイになるだろうし、③と④だけで構成されていれば、理知的な料理指南書となるだろう。

常識的な理念と生活実感はしばしば対立する。毎日健康的な食事を取るべきだと考えていても、時にはファストフードが無性に恋しくなり、肥るとわかっていても深夜にお菓子が食べたくなる。「働く女性」であればなおさら、生活を充実させるべきという理念と、忙しさのなかで「暮らしの部分」に目をつぶりたくなるという実感のあいだで揺れ動く。

だがカツ代は、生活実感（①）と理念（④）を、穏やかな愛情表現（②）と客観的な分析（③）によって接続する。理念は、実感を黙殺するために導入されるのではなく（「生活全般ぬかりなくなどといったことは、正直いってできかねる」）、実感に基づきながら無理のない熱意と工夫によって実現されうるものとして位置づけられる。

無理せず「ご機嫌」な生活を実現するためにカツ代が読者に送り届けたのは、上記のような食生活全般を考察する文章だけではなく、なによりも彼女の代名詞と言える「美味しい時短」レシピの数々であった。その傑作の一つを見てみよう。

「わが道をゆく！　わがままなワンタン」

（1）ワンタンの皮は三角形に半分に切る。豆腐、細ねぎを切っておく。
（2）A（長ねぎのみじん切り、しょうゆ、豆板醤）を混ぜあわせる。
（3）鍋に水、スープの素を入れて火にかける。中火にしてひき肉を一気に入れる。箸でかき混ぜてほぐす。
（4）豆腐を加える。少ししてワンタンの皮を一枚ずつ加えていく。
（5）皮に火が通ったら火をとめる。Aを加え、細ねぎを散らし、ごま油、塩、

こしょうをふる。【6】

一般的なワンタン料理では、Aと似た材料をひき肉と混ぜて団子にし、ワンタンの皮で一つずつ包んでからスープで煮ることになる。これに対して「わがままなワンタン」は、肉団子をワンタンの皮で包むという、料理の中核になる過程を削除することで短い調理時間を可能にするだけでなく(レシピには「一五分」と記載されている)、レンゲですくって口に入れると通常のワンタン料理にかなり近い味わいになるように計算されている。

柔らかい肉団子の食感とトロみのついた熱々のワンタンは、寒い日の夕食などにはぜひ献立に加えたい一品だろう。だが、主菜・副菜・ご飯・汁物という家庭料理の定型的な組み合わせの一つとしては、手間がかかりすぎる。餃子と同じく一食の主役となりうる中華料理のワンタン(雲呑)は、日本の家庭料理の汁物カテゴリーにうまく収まらない。それをカツ代は、材料を切って調味料で煮るだけ、という通常の味噌汁と変わらない手軽な料理に変えてしまう。ワンタンだけでは物足りず、ついつい主菜とご飯を求めてしまう人々にとって、「こうすれば目先も変わってインパ

【6】小林カツ代、二〇〇七『決定版 小林カツ代の毎日おかず』、講談社、四三頁。レシピ内の具体的な数量は省略した(括弧内は引用者)。

クトもある汁物が手軽に作れるよ」というカツ代の提案には嬉しい驚きがある。一般的なワンタンの調理法から外れて「わが道をゆく」レシピでありながら、手軽に濃厚な中華料理を味わいたいという「わがまま」を叶えてくれるのだ。

このように、カツ代の「時短」レシピは、単に時間が短縮できるだけでもなく、時間が短縮できて美味しいだけでもない。それは、十分な時間の余裕がない中で「料理（例えばワンタン）とはこういうものだ」という定説に従わなくても、「知恵と工夫でカバー」すれば「ご機嫌な」生活が送れるのだというメッセージを伝え、それを実現するための武器を授けるレシピなのである。

「簡単で美味しい」というイメージからは意外に思われるだろうが、カツ代のレシピを初見でうまく作るのは結構難しい。筆者は彼女の様々なレシピをもとに実際に調理をしているが、初回時には本に掲載された写真とずいぶんちがう出来上がりになることも少なくなかった。その要因の一つは、レシピにおける調理指示のあいまいさにある。例えば「大根たらこ煮」のレシピでは、「(大根は) 竹串がスーッと通るまで下茹でする」、「(タラコに煮汁が) コテッとからまったら取り出す」など、出来上がりを左右する作業のタイミングが「スーッ」や「コテッ」といったオノマトペで指示されている（レシピ対決五番勝負第三戦〔一一〇頁〕を参照のこと）。

調理する側としては、「竹串は通るけど、これは『スーッ』なのだろうか？」とか「たらこは煮汁を吸ったようだけど『コテッ』とからまったのかな？」と、いちいち悩むことになる。だが、何度か同じ料理を作ると調理と出来上がりの関係がつかめるようになり、自分なりに適切なタイミングがわかってくる。「なるほど、これがカツ代さんの言うコテッなのか」と。もちろん、それであっているかは確かめようがない。だが、「一〇分煮る」といった指示しかない場合に比べて、カツ代の記述からは「その辺の細かいところは自分で塩梅してくれればいいのよ」という鷹揚なニュアンスが伝わってくる。

家庭によって火力も違い、人によって味や食感の好みもちがう。それを一律に「一〇分煮る」とだけ言うのではなく、オノマトペでタイミングをマークし、その内実は各人に任せることで、彼女のレシピは作り手を育てるのだ（ちなみに筆者は現在「コテッ」とは、たらこの表面に照りがでて内側は火の通りが外側よりやや弱い状態だと理解している。内側まで均質に火が通ると食感がボソボソしてあまり美味しくないことを調理初回で学んだ結果である）。コツをつかめば出来上がりも良くなり、他の料理にも応用できるようになる。「スーッ」や「コテッ」といった擬音を思い浮かべて調理するのは楽しいし、その楽しさが上達につながれば料理への自信も深まっていくだろう。

創意工夫に満ちたレシピで読者の生活を応援してきたカツ代に対して、愛読者の多くは感謝を口にする。例えばカツ代の死後に出版されたNHKテレビテキスト「きょうの料理」増刊号の「読者の皆さんの声」[7]欄には、以下のような投稿が寄せられている。「カツ代さんのお人柄も、お料理も大好きで、共働きの子育て時代から、ずいぶん助けていただきました。[……]今年の札幌は30℃を超す暑さで、料理をするのがいやだなぁ……と、思ったのですが、カツ代さんに元気をもらって台所に立っています」。「カツ代さんのレシピは、手軽で気取らず、それでいて美味しい！ 仕事と家事を両立しなければいけない私のような全国の主婦、母親にとって、励ましともいえるメニューの数々はありがたく、元気のもとでした[……]残していただいたレシピを大切にしていきたいです」。

レシピと文章を通じてカツ代が発信し続けた穏やかな愛情は、カツ代から読者へ、読者からその料理を食べる人々へと伝わっていく。だが、それを可能にしたの

【7】『まだまだみたい！ 小林カツ代のベストおかず（NHKテレビテキストきょうの料理二〇一五年二月号臨時増刊）』、二〇一五年、NHK出版、七八頁。

は彼女の人柄だけでなく、従来の調理法を徹底的に疑い、食材や調理の相性を精査しながら大胆に定番料理を脱構築（解体・再構築）していく高い分析力と構想力でもある。自分が働きかける対象を緻密に「分析する私」と穏やかな愛情を伝えながら「暮らす私」を滑らかに接続することによって、カツ代は家庭料理を担う多くの人々、とりわけ両者の相克に直面しやすい「働く女性」たちを励まし、助け、彼女たちの「元気のもと」となりえたのである。

消費社会下の家庭料理

しかしながら、小林カツ代における「分析する私」と「暮らす私」の滑らかな接続は、ある制約の下で可能になっている。それは「家庭料理とはこういうものだ」という暗黙の了解である。中華料理のワンタンを大胆に脱構築した「わがままなワンタン」は、だが、家庭料理の定型的な献立における「汁物」というカテゴリーにしっかり収まる。この料理に限らず、カツ代のレシピの大半は、一目で「主菜・副菜・ご飯・汁物」のどれにあたるか判別できる。「なまけものシチュー」、「ほうれんそうのガーッ」」、「ケンタッローフライドチキン」」（息子で料理研究家の小林ケンタロウの名を冠したレシピ）といった遊び心あふれるレシピ名は、意地の悪い見方をすれば、料理の構成に忠実な名前をつけると（例えば、「豚肉のシチュー」」、「ベーコンとほうれんそうの炒め物」」、「自家製フライドチキン」のように）陳腐な家庭料理だと感じられるがゆえの苦肉の策にも思われる。そもそも「時短料理」とは「正統な調理法で作った料理と同じようなものをより短い時間で作れる料理」であり、料理名から想起される味わいやそれが位置づけられる献立上のカテゴリー自体から逸脱するものではない。

たしかに小林カツ代は既存の料理のありかたを疑い、解体し、再構築する手法を提示した。しかし、その主な対象は日本料理で正統とされる調理法や、高名な西洋料理研究家たちが広めた洋食の正しい作り方などであり、彼女や読者が想定する「家庭料理なるもの」自体は温存される。カツ代は、「ロールキャベツを巻かなくてもいいじゃない（「食べるとロールキャベツ」）」とか「炒飯を炒めなくてもいいじゃない（「炒めない！　炒飯」）」とは言っても、「焼き魚にバゲットをあわせてもいいじゃない！」とは言わない。白米を中心に和洋中の美味しい一汁三菜を女性

（妻／母）が心をこめて手作りすることが家庭生活の潤滑油になる、という、高度経済成長期に確立された家庭料理の理念的なあり方自体は基本的に肯定されているのである。

だが、『働く女性のキッチンライフ』が出版された一九八〇年代前半から一九九〇年代初頭にかけて急速に進展した消費社会化は、家庭料理のあり方にも大きな影響を与えていく。例えば、生活史研究家の阿古真理は、一九九〇年に創刊されて若い主婦層の人気を集めた雑誌『すてきな奥さん』に掲載された読者投稿レシピに注目している。

忙しい合い間を縫ってつくる料理は、おなじみの冷凍食品を使ったものだ。ポテトコロッケを揚げてつぶし、粒マスタードやたまねぎを加え、ベーコンを散らした「ホットポテトコロサラダ」。ハンバーグに火を通してつぶし、大豆の水煮缶、ピーマンみじん切り、ケチャップ、スープ、ウスターソース、チリソース、赤ワインを混ぜた「お手軽チリコンカン」。ギョーザからつくる「揚げギョウザの香味ソースかけ」、肉だんごでつくる「ボリューム洋風茶碗蒸し」もある。

肝心なのは、これが読者からの投稿だということである。実際にこれらの再加工料理をレパートリーにしている主婦がいたのだ。そこまで手をかけるなら、素材を使った料理法と変わらないのではないか。冷凍のハンバーグやギョーザをそのまま焼いて出すわけにはいかないのか、という疑問は専業主婦の世界を知らない人のものである。

女性も働く時代に専業主婦を選んだからには、料理にも創意工夫があり手間がかかっていることをアピールしなければならない。日々、目先を変えて食卓に驚きを提供しなければ、自分も飽きる。【8】

既存の料理を解体し再構築して新たな味を作る。その点において、これらの「再加工料理」は小林カツ代の「美味しい時短」と変わらない。だが、カツ代による脱構築の対象が正統とされる料理のあり方や調理法だったのに対して、『すてきな奥さん』の読者による脱構築の対象はスーパーやコンビニで買える冷凍食品である。かつて学問思想業界を席巻した「脱構築」という概念が、その標的となる近代

【8】阿古真理、二〇一三『昭和の洋食 平成のカフェ飯——家庭料理の80年』、筑摩書房、一三九—一四〇頁。

的な知や概念の権威がどれほど批判されようとも（批判されるべきものとして）温存されるという状況がなくなるにつれてその特権的なオーラを失っていったように、『すてきな奥さん』の冷凍食品料理にはもはや脱構築とわざわざ呼ぶ必要も感じられない。そもそも冷凍食品自体が、冷凍という技術を駆使して既存の料理を解体・再構築したものだ。むしろ、これらの料理では、九〇年代当時に若い主婦の一〇～二〇歳下の少年たち（あるいは彼女たちの息子たち）が熱中していた「ミニ四駆」と同じように、既存の製品を組み合わせて自分なりの一品を作ることに主眼が置かれている。

カツ代の料理本において読者の範例であった「働く女性」がより一般的になった結果、あえて専業主婦を選んだ女性たちもまた自らの個性と創意をアピールしたいという思いに駆られる、だからこそ著しく目先の変わる「再加工料理」が好まれたのだろう。そう阿古は分析する。だが、それでも「そこまで手をかけるなら、素材を使った料理法と変わらないのではないか」という疑問は解消されない。冷凍食品をここまで改変できる発想と技術の持ち主であれば、スーパーで素材を購入し、自分なりのアイディアで手作りの家庭料理を作っても、創意工夫と手間をアピールし、食卓に驚きを提供することは十分できたように思われる。

むしろ、『すてきな奥さん』の冷凍食品料理が標的としているのは「手作りの家庭料理」という発想そのものではないだろうか。

そもそも料理には一〇〇％の手作りなどありえない。「手作り」という言葉が自分の手で一から料理を作り上げることを意味するのであれば、素材を手ずから調理したとしても、素材となる動植物を育てること、そのために牧場や土壌を耕すこと、水や酸素を用意すること、それらを生み出す地球という惑星を作りだすことさえ必要になってしまう。一〇〇％の手作りが可能なのは造物主だけである。

小林カツ代のレシピでも、スープの素やケチャップといった既製品が用いられる。それでも彼女の料理が手作りに思えるのは、スーパーで買ってきた素材と調味料を組み合わせて料理を完成させることが「手作り」であるという一九六〇〜七〇年代に確立された家庭料理のイメージがいまだ根強いからであろう。

冷凍食品再加工料理は明らかにスーパーの商品を組み合わせて作られる料理である。だが、農家の創意工夫によって品質改良された色鮮やかな南瓜を、食品メーカーが長年の研究をもとに加工したみりんと酒と醤油で調理した「かぼちゃの煮物」もまた、立派な「再加工料理」ではないだろうか。「手作りの家庭料理」というイメージを支えてきたのは、スーパーで購入した食材をあたかも畑で自ら収穫した作物のようにみなし、購入後の加工のみを「手作り」として特権視する、考えてみれば奇妙な通念だったのである。

『すてきな奥さん』の冷凍食品料理から読み取れるのは、工夫と手間をアピールしたいという欲望だけではない。そこには、家庭料理とそうでないもの、手作りの料理と商品としての料理、お金で買えないものと買えるものといった二項対立を崩し、両者の関係を組み変えようとする意志と才気を感じとることもできる。「家庭料理なるもの」を温存するのではなく、その外部へと踏みだし、家庭と料理の関係自体を変容させていくこと。その本格的な展開を担ったのは、九〇年代にカリスマ的な人気を獲得した一人の「主婦」であった。

ゆとりの天才

彼女、栗原はるみは、一九九二年に出版され一二一万部のミリオンセラーを記録したレシピ本『ごちそうさまが、ききたくて。』の末尾で次のように述べている。

毎日うちで食べているおそうざいを集めたら、この本ができました。あらためて見直すと、「へえ、うちって、意外にいろんなもの食べてるんだ」という感じです。好き嫌いなく食べてくれる家族がいて、食いしんぼうの友だちがいて、そんなまわりの人たちから、ごちそうさまという言葉をきくのがうれしくて、作ったものばかり。だから、これは、わたし流というよりも、みんなで作ったわが家流といえるかもしれません。今回は、思いかけず、食器もうちのものを使うことになり、これでいいのかしらと迷うこともありましたが、普段自分がしているように、あれこれと楽しみながら盛りつけもすることができました。

なんとも呑気な文章である。彼女のことをまったく知らない人は、「毎日うちで食べているおそうざいを集めた本が何でミリオンセラー?」と疑問に思うだろうし、彼女の本を愛読する人であれば、「そうそう、それが凄いのよ!」と言いたくなるだろう。

はるみの料理本では、個々の料理が実際に栗原家で食されており、キャスターとして活躍した夫・栗原玲児（二〇一九年に死去）や子供たち、自宅を訪れる友人たちから好評を博したレシピであることが強調される。料理を中心に栗原家の落ち着きながらも素敵な生活を綴るエッセイ調の文章がレシピの傍らに配置され、キッチンで躍動しリビングで寛ぐはるみのグラビア、料理だけでなく洗練された趣味でまとめられた食器や調理器具やテーブルの綺麗な写真が誌面を彩る。愉快なネーミングやオノマトペに満ちているとはいえ料理指南書の域をでないカツ代のレシピ本とは異なり、はるみの著作はさながらアイドルの写真集とライフスタイル雑誌が融合したような体裁をとっている。

だが、もちろん、はるみは自分と家族の素敵な生活を文章と写真で綴っただけで一二一万部を売り上げたわけではない。彼女の真骨頂は、文章や写真で表現される「栗原さんちの素敵な生活」にそれを作るだけで読者を近づけてくれる、極めて緻密に計算されたレシピの数々にある。「ドラゴンクエスト」などのＲＰＧが、単体では（例えば小説であれば）そこまで高く評価されるとは思えない剣と魔法のファンタジー世界を描くだけでなく、コントローラを媒介にしてプレイヤーをその世界に没入させることで多くの熱狂的なファンを獲得したように、はるみのレシピは調理を通じて読者を「栗原さんちの素敵な生活」へと誘う。

我が家の見飽きた食卓が、はるみレシピの華やかな外観と味わいによって素敵な空間へと変容するのである。ただし、RPGの広範な人気が「ボタンを連打するだけ」とも言われる簡単な操作によって支えられているように、はるみの料理本が累計二〇〇〇万部を超える売り上げを弾きだしてきたのは、可能な限り調理者側のミスや曲解を減らし、誰が作っても一定の水準の味わいになるように計算し尽くされたレシピの「簡単さ」によるところが大きい。それを可能にしているのは、日々繰り返される膨大な数の試作である。

わたしのつたない料理を雑誌やテレビなどで紹介するようになって、何よりもうれしいのは、見知らぬ人から、「うちでも作ってみました。おいしかった」と言われることです。だから、もし、わたしの料理を作ってみて、まずかろうものなら、申しわけない。そんなことがないように、一度試作したものを紹介し、そのあとも、その雑誌やテレビ番組が世の中に出るギリギリまで、何回も試作をします。一度でこれ、と決まるものもあれば、なかには何度作っても納得がいかないものも。試作、試作の毎日で、味見役は家族ですから、さすがに「また、これ」と言われることもありますが、そんなことにはおかまいなく感想をきいていきます。【9】

ここには、小林カツ代のレシピから読み取れるような、読者を応援し、各人の工夫の余地を残し、料理の腕をあげてもらおうという配慮は弱い。「まずかろうものなら、申しわけない。そんなことがないように」という想いのもと、試作を繰り返して完成するはるみのレシピには、極めて高い確率で「簡単で美味しい」料理を読者に届ける仕掛けがつまっている。

その一つが、せん切りやみじん切りなど、食材を均質に切断する調理法の多用である。もとの形状を残した食材の調理と比べて、均質に細分化された食材は火の通りの管理や成形が容易であり、調理環境や調理者の技術によって外観や味わいが変化する余地が少ない。剣と魔法のファンタジー世界をデジタルなビットに変換した

【9】栗原はるみ、一九九二『ごちそうさまが、ききたくて。──家族の好きないつものごはん140選』、文化出版局、二〇頁。

ＲＰＧが「ボタンを連打するだけ」でその世界に容易に没入し操作できる状況を作りだしたように、単調ではあるが特別な技術の要らないせん切りやみじん切りによってデジタル化された食材が、簡単で美味しく見栄えのする料理を可能にする。その一例を見てみよう。

「ハッシュドブラウンポテト」

これはむしろ、せん切りのじゃがいものためにあるような料理。せん切りといっても、それほど細く切る必要はなく、たとえ箸の太さほどになっても全然かまいません。とにかく、その細切りにしたじゃがいもを、いつもは水にさらすのですが、このときはさらさないで、バターをとかしたフライパンに直接入れます。あとは、軽く押さえて、ふたをしておけば、そばにいなくても自然にひとつにまとまって、ハッシュドポテトが焼き上がります。これに半熟の目玉焼きをのせ、黄身をくずしてからめながら食べるのが、朝食の楽しみ。最近、細切りポテトの冷凍も売っていますが、そちらはもっぱら時間のないときのピンチヒッターです。

（1）じゃがいもはせん切りにする。
（2）フライパンを熱してバター、サラダ油を入れ、バターがとけたら、じゃがいもを入れて平らに広げ、塩、こしょうをふって、ふたをして焼く。底面に焼き色がついたら裏返し、塩、こしょうをふって、同様に焼く。
（3）じゃがいもに火が通ったら、器に盛り、目玉焼きをのせる。[10]

調理に難しいところはなく、材料もどの家庭にもありそうなものばかりだが、せん切りにしたジャガイモに香ばしそうな焼き色がつき綺麗な円形にまとまって目玉焼きがちょこんとのった写真は、視覚的にも面白く、食べてみたいと思わせるのに十分である。カラフルなテーブルクロスの上に白い円形の平皿、その上に円形のハッシュドブラウンポテト、さらにその上に目玉焼きの白と黄が映え、その全体を朝方の日光が照らしていて、レシピの下部に配置された緑あふれる庭で微笑むはるみの写真の横には「猫の額ほどの広さしかありませんが、天気のいい日は、庭に食

【10】同書、五五頁（レシピ内の具体的な数量は省略した）。

器を持ち出して、朝ご飯を食べることもあります」と綴られている。

カツ代のように調理指定に読者が入り込む余地を確保することのないはるみは、その代わり、エッセイ風の文章のなかで隙をみせる。おしゃれな料理写真や調理器具によって自らの生活を素敵に見せる一方、「最近、細切りポテトの冷凍も売っていますが、そちらはもっぱら時間のないときのピンチヒッターです」とか「猫の額ほどの広さしかありませんが」といった記述によって、自分がどこにでもいる普通の主婦でもあることがさりげなく強調される。「普通の主婦」から「素敵な生活」への移行を可能にするのは、洗練された外観をもち簡単で美味しい料理に他ならない。読者はレシピ本を読み、実際に調理して味わうことを通じて、ありふれた家庭の空間が素敵な空間へと変容していく運動に誘われる。レシピ本に載った美味しい料理を作って食べれば、傍らに置かれた素敵な食器や調理器具やテーブルクロスも欲しくなる。はるみは自らセレクトしたそれらの雑貨を全国主要都市の百貨店内インショップ（「share with Kurihara harumi」）で販売しているので、レシピで指定された生ハーブなどの食材を百貨店で買い求めるついでにショップに立ち寄ることもできる。

こうなると、読者は美味しい家庭料理を作るためにレシピ本を購入しているのか、「栗原さんちの素敵な生活」に憧れてそれが詰まった商品（レシピ本や雑貨）を購入しているのか、容易に見分けがつかなくなる。はるみの料理本自体、レシピ本として用いずライフスタイル誌として読むだけでも十分に楽しめるように工夫されている。

実際、本書執筆に先立って筆者が調理した彼女のレシピは、意外に簡単で美味しく見栄えのするものであり、何度も作って定番になった料理もある。だが、誰でも美味しく作れるように構築されたはるみのレシピは、繰り返し作っても自分の癖がつきにくい。いつまでたっても「我が家の味」にはならないために、彼女のレシピは本代と調理という手間を払って「栗原さんちの味」をお取り寄せする手段、いわば「お金で買える家庭料理」にすぎないようにも思えてくる。

さらに、ここで言う「栗原さんち」とは、はるみが社長を、夫・玲児が会長を、長男の料理研究家・心平が代表取締役（現・社長）を務めてきた株式会社「ゆとりの空間」のことに他ならない。資本金一億七〇五〇万、二〇〇人の従業員を抱える同社の事業規模は、料理研究家の個人事務所の範疇を遙かに超えている。日々、主婦（＝社長）であるはるみが料理を作り（＝試作し）、家族（＝幹部）が食べる（＝試食する）。家族が美味しいと言う（＝幹部が評価した）料理は「みんなで作ったわが家流」のレシピを集めた本にまとめられて二〇〇〇万部を超える売り上げを達成してきた。栗原家の家庭料理はそのまま「ゆとりの空間」という企業の活動であり、その主力商品である。出版社が販売するレシピ本をもとに料理を作るという企業と家庭の間接的な関係は、企業（栗原家）の商品（家庭料理）を家庭で消費する（＝レシピを見て調理し味わう）という、より直接的な関係へと変換される。栗原はるみとは、まずもって、料理を通じて家庭生活を消費社会にダイレクトに接続した天才的な企業家として評価されるべき人物なのである。

しかし、それは必ずしも否定的な評価であるとは限らない。たしかに、家庭料理とは家族の好みをすりあわせながら作りあげられる「我が家の味」であるべきで、レシピ本はあくまでその参考に用いられるものにすぎないと考える人々からすれば、誰がつくっても味の偏りが出にくいはるみのレシピは「我が家の味」の熟成を阻害する悪しき商品のようにも見えるだろう。

しかしながら、出身地の異なる夫婦が異なる味の好みをすりあわせることが重視された一九六〇～七〇年代の家庭生活とは異なり、一九九〇年代の家族を構成する各人は、家庭料理以外にもコンビニやファストフード店やファミリーレストランで様々な料理を日常的に味わい、自らの味の好みを育てている。それを一律に「我が家の味」へと集約させることには無理があるし、だからといって、各人の好みの味をコンビニで買い集めて別々の食品を同じテーブルで食べるのはあまりに寂しい。そう感じる人々にとって、はるみのレシピは、家庭料理を「お店の味」に確実に近づけてくれる強力な手段となる。砂糖を多用するためにしばしば「濃い」と評される味付けも、ありふれた調味料を使いながら外食の濃い味付けに負けない、味のインパクトと安定感を生みだすことに寄与している。そのレシピは、中華料理店で供されるワンタンを味噌汁のバリエーションに落とし込むカツ代の方法論とは対照的である。

はるみ本の読者において、美味しいレストランを雑誌で調べ、多彩な食材を知り、常に新奇な味を求める消費社会下の「分析する私」は、雑多な家事に追われながら好みのバラバラな家族が囲む食卓に向けて料理を供する「暮らす私」と滑らかに接続される。それを可能にしているのは、家庭料理を絶えず精緻に分析しながら暮らしている、栗原はるみという主婦=社長に他ならない。

「ハッシュドブラウンポテト」は、もう少し規格化された製造過程を取れば有名ハンバーガーチェーン店の朝のセットの付け合わせのポテト料理にもなるだろう。だが、はるみのレシピには味の濃い旨み調味料や得体の知れないスパイスは入っておらず、材料はなじみのあるものばかりで、朝食の目玉焼きの傍らに供されるじゃがいもソテーと味付けも変わらない。

だが、円形に延ばされたせん切りじゃがいもソテーに目玉焼きを崩して食べるハッシュドブラウンポテトは朝食のかたちを変えうる。目玉焼きと付け合わせと食パンというよくある洋風朝食にこの一品が加われば、食パンではなく堅いドイツパンとナチュラルチーズを添えても合うだろうし、お気に入りのベーグルや冷製スープをあわせてもよいだろう。はるみのレシピは、外で食べる「お店の味」を部分的に導入しながら定型的な家庭料理のカテゴリーを解体・再構築し、その枠組みを拡張していく自由を提供するのである。

実際、はるみのレシピ本には「主菜・副菜・ご飯・汁」という定型的なカテゴリーにおさまりにくい料理が多く掲載されている。パンにも合うように味付けを変えた「さばの味噌煮」、ワインと相性のよい生ハムやバジルの葉をのせた「レンコンのピクルス」、バゲットを添えて土鍋で供される「オニオングラタンスープ」、焼いたサンマとレンコンと白米を炊きこんでケチャップをたらした、カフェのワンプレートランチのような「サンマの洋風炊き込みごはん」。いずれも、意外な食材の組み合わせ（レンコンと生ハム、サンマとケチャップ）や、華やかでインパクトのある盛りつけ（グラタンスープを土鍋に注ぎ、和食然としたサバの味噌煮にパンを添える）によって、家庭料理を洒落たレストランやカフェの料理へと近づける。

だが、その洗練された見た目に反して、食材のほとんどはスーパーで購入できるものであり、プロの料理人のような技術が必要とされるわけでもない。バゲット付きオニオングラタンスープや洋風炊き込みご飯は、それ単体でランチや夕食にして洗い物を減らすこともできる。レシピ本でワインやバゲットが供されているからといって、それに倣う必要もない。おしゃれな食器や調理器具を購入してもよいが、なじみの食器で食べても十分に美味しい。定型的な家庭料理の外部に踏みだしながらも、常に片足はその内部に置かれており、読者はその時々で両足のバランスを調整できるようになっている。栗原はるみの著作は、家庭料理を「お店の味」に変換するのではなく、両者のはざまに自由に行き来できる「ゆとりの空間」を生みだすことで、消費社会のなかで家庭生活を送る多くの人々を助け、励まし、魅了してきたのである。

静かな戦い

小林カツ代と栗原はるみ。より簡単で美味しい料理によって「レシピの民主化」[11]を進めた料理研究家として並び称されることもある両者は、ともに従来の定型的な家庭料理に対するポストモダニズム的な懐疑と改変の推進者であった。だが、ここまで見てきたように、レシピの基本的な特徴、読者である家庭料理を担う人々との関係、家庭料理と外食の区分といった点において、両者は明らかに異なる方向性を提示してもいる。

とはいえ、彼女たちは同時代の学者たちのように、お互いを批判したり、自己の立場を論理的に正当化しようとはしない。九〇年代以降はテレビや雑誌といった活動の場も重なってくるし、二人の息子である小林ケンタロウと栗原心平は、とも

【11】阿古真理、二〇一五『小林カツ代と栗原はるみ——料理研究家とその時代』、新潮社、一四五頁。

に二〇〇八年にはじまったテレビ東京系の料理番組『男子ごはん』でＴＯＫＩＯの国分太一の相手役を務めている（当初はケンタロウと国分の二人ではじまり、二〇一二年にケンタロウが交通事故で重傷を負った後、心平に交替）。

料理研究家としての共通点は多く、活動の場が近くても、カツ代とはるみが明示的な論争を繰り広げることはなかった。彼女たちは、料理を中心として生活を精緻に「分析する私」であると同時にそれを「暮らす私」へと滑らかに接続することによって人々を魅了してきた存在であり、暮らしをその外部から観察し分析する社会科学者ではない。だが、簡単で美味しい料理を媒介として人々の生活に浸透していった彼女たちの仕事は、能動的で分析的な私たちの日常的活動の境界条件としての暮らしの変化に寄り添い、変化を炙りだし、変化を推進さえしてきた。暮らしはもはや所与の生物学的／経済学的必然性に規定された営為ではない。それは、「美味しい時短」を生みだす創意工夫や、お店の味に片足を置く「ゆとりの空間」においてて絶えずデザインし直すことのできるものへと変容する。生活という「うすのろ」は、知恵と工夫をこらしたポストモダニズム的脱構築によって乗り越えられるのだ。だが、本当にそう言えるのだろうか？

本書執筆に先立って二人のレシピを繰り返し調理し味わった筆者自身が体感したように、カツ代とはるみが生みだしたレシピの多くは、意識せずとも食べなれた定番料理の源となっており、それらの味わいは、時に齟齬や疑問を感じさせはするものの、すでに私たちの暮らしと身体のなかに染みわたっている。

だが、やはりそれは異なった二つの流れであるように思われる。カツ代のレシピには、現代でも十分通用するインパクトと懐かしい家庭料理の味わいを自らの手でつくりだす技術を育む喜びを感じるし、はるみのレシピには簡単な調理を重ねるだけで本に掲載された写真とあまり変わらない派手な見た目と外食に負けない力強い味わいが生みだされる楽しさがある。カツ代の料理を楽しんでいるときには、はるみレシピのファミレス臭さが嫌になり、はるみの料理を味わっているときには、カツ代レシピの家庭料理臭が疎ましくなる。明示的な論争を繰り広げることはなくても、彼女たちのレシピは無言のままそっけなく、しかし激しく戦っている。

一九八〇〜九〇年代を代表する二人の料理研究家のレシピから味わえるそっけない論争は、それに先行する戦いを前提とし、それに後続する戦いの前提をなしている。次章では、一九六〇〜七〇年代、カツ代とはるみが標的とした家庭料理の定型的なあり方が確立されていった過程を追跡する。だが、その前に、文章に頼った記述だけでは把握しきれない領域、料理を味わうという経験の中で「分析する私」と「暮らす私」が交差し、前者から後者が逃れ、後者から前者が逃れていく運動を体感していただきたい。以下では、小林カツ代と栗原はるみの著作から各五つのレシピを選び、調理と実食を繰り返した五番勝負の前半戦をお送りする。

簡単で美味しい時短料理を提案し一九八〇年代を代表する料理研究家となった小林カツ代。外食のニュアンスを食卓に取り入れて一九九〇年代を代表する料理研究家となった栗原はるみ。膨大な二人のレシピからそれぞれ五つの料理を選び、友人達と一緒に実際に調理した。筆者と友人による実食コメントと投票による対戦形式で紹介する。

人気のレシピを集めた二人の料理本の中から、家庭料理の定番から大きく外れず、比較や調理がしやすいようにある程度は類似していて、両者の特徴がよく出ているものを選んだ（レシピ中の分量記載は省略した）。

大きく異なる個性を持つ両者のレシピだけにがっぷり組み合う対決にはなりにくく、不釣り合いに思われる組み合わせも少なくないだろうが、二人が提案する家庭料理のあり方の違いを感じながら読んでいただきたい。

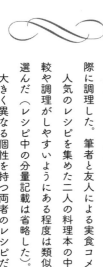

実食！

小林カツ代×栗原はるみ レシピ対決五番勝負（前半戦）

第1戦

昼の副菜

まずは昼食のサブメニューから。

カツ代のレシピは、
南アジアで広く食されるヨーグルト料理「ライタ」から
ヒントを得たと思われるキュウリのサラダ、

はるみのレシピは、
みじん切りにして肉料理やタルタルソースにも転用できる
自家製ピクルスを選んだ。
いずれも酸味を加えた爽やかな野菜料理だが、
受ける印象はずいぶんと違うものとなった。

キューカンバーサラダ

KOBAYASHI Katsuyo

小林カツ代

作り方

1.　キュウリは縦に縞に皮をむく。縦に四等分に切り、1.5㎝長さに切る。

2.　プレーンヨーグルト、塩、白コショウをよく混ぜ合わせてキュウリをあえる。ラップをかけ、冷蔵庫で冷やす。

3.　器にヨーグルトごと盛る。あればミントの葉を飾る。

（小林カツ代、2007『決定版　小林カツ代の毎日おかず』、講談社、133頁）

自家製ピクルスミックス

KURIHARA Harumi

栗原はるみ

作り方

1. カリフラワーは小房に分ける。にんじんは皮をむき、1 ～ 1.5cm長さのいちょう切り、セロリは房を取って2cm長さに切り、下の方は大きければ半分に切る。キュウリは両端を切り取り、2cm長さに切る。

2. 1.を熱湯でざっとゆで、ざるに上げて冷ます。

3. 鍋にピクルス液の材料（酢、白ワイン、水、砂糖、塩）を入れて中火にかけ、砂糖が溶けたら火を止めて冷ます。

4. 保存ビンの内側と外側に熱湯をかけ消毒し、水気をきる。そこに2.の野菜と3.のピクルス液を入れ、にんにく、赤唐辛子、ローリエ、粒こしょうを加えて蓋をし、冷蔵庫で保存する。漬けた翌日から食べられる。

（栗原はるみ、2005『わたしの味――選びに選んだ80のレシピ』、集英社、63頁）

実食コメント

H・T……………（沖縄県西表島出身、茨城県つくば市在住）

勝者 キューカンバーサラダ

理由 ピクルスは綺麗だけど、要は紅白なますじゃねえか、と思った。すっぱい漬け物はすっぱい漬け物でしかない。マイナス点がピクルスにいきました。キューカンバーサラダはその点、さわやかに食べられる。平凡だが、サラダだし平凡でいいと思う。しかし一九八〇年代のレシピだと思うと、ヨーグルトにキュウリって、酢豚にパインくらいの話題性があったのだろうか？ 「おもひでぽろぽろ」の主人公タエ子が小学生の時に初めて銀座千疋屋のパインを家族と食べる話がある。彼女は一九八二年に二七歳で、ちょうど私の母の世代。それより一八も年上の小林カツ代は一九三七年生まれで、きっと三〇歳前後に人生で初めて生パインを食べたんだろう。この差は大きい。タエ子は有機農業に惹かれて三〇手前で会社をやめて田舎にUターン（Iターン）するが（ちなみにうちの両親も晩婚のターン組に入ると思う）、それはカツ代世代の一般的な価値観ではないだろう。そんなカツ代がヨーグルトにキュウリを入れていると思うと、もう酢豚関係ないですが、すごいなと思う。だから改めて一票。

K・S……（東京都練馬区出身、同杉並区在住）

勝者　キューカンバーサラダ

理由　シンプルで美味しいです。ミントのアクセントがさらによかったです。実質は「キュウリとヨーグルトのサラダ」ですので、ネーミングの勝利もあるかもしれません。手軽なので毎日でも食卓に出せますが、子供が成人した頃に「実は嫌いだった」と言われそうです。ピクルスは味が濃かったです。

T・K……………（京都府京都市下京区出身、東京都渋谷区在住）

勝者　キューカンバーサラダ

理由　ピクルスは単品では味が濃く、箸休めに使いにくい。味の濃いメインとこのピクルスの組み合わせは厳しい。ただし、パンなどに挟むと味の濃さが活きてくると思う。バゲットが常備されているライフスタイルにおける、漬物的ポジションの提案ではないか。キューカンバーサラダは、手軽に作れて、箸休めとしての役割もまっとうし、ミントがアクセントとなって食卓の楽しさにも寄与する三方良しのレシピ。ただし、肝心の味は今ひとつ。コンセプトが実態の美味しさに追いついていない感じはある。また作るかと言われれば、作らなさそう。

A・K……………（筆者、神奈川県大和市出身、東京都国立市在住）

勝者　自家製ピクルス（ミックス）

理由　僅差でピクルス。キューカンバーサラダはどこか湿っぽい。今なら美味しくいただけるが、子供のころ風邪の時に食べて戻したりしたら、一生食べられなくなっていそう。

結果　3—1で小林カツ代「キューカンバーサラダ」

小林カツ代……1勝
栗原はるみ……0勝

実食！小林カツ代×栗原はるみ　レシピ対決五番勝負（前半戦）

第2戦

昼の主菜

昼食のメインはパスタ対決。

手軽さと本格感、
ボリュームと洗練された味の組み立て。

どこをとっても対照的で
好みが分かれそうな二つのレシピだが、
結果は一方的だった。

じゃが芋スパゲティ

KOBAYASHI Katsuyo

小林カツ代

作り方

1. じゃが芋は細切りにし、水に五分さらす。
2. スパゲティは表示どおりにゆで、ゆで汁はとっておく。
3. オリーブ油と赤唐辛子を中火にかけ、にんにくを加える。よい香りがしてきたら、水けをよく切ったじゃが芋を入れ、強火で炒める。
4. ゆで汁を少しとスパゲティを加え、混ぜる。
5. 器に盛り、粉チーズとパセリをふる。

（『決定版　小林カツ代の毎日おかず』、168頁）

スパゲッティミートソース

KURIHARA Harumi

栗原はるみ

作り方

1. ベーコン、玉ねぎ、にんじん、セロリはそれぞれ粗みじん切り、にんにくはみじん切りにする。マッシュルームは水気をきる。
2. フライパンにオリーブオイルを熱し、にんにく、ベーコンを炒める。ひき肉を加えて焼きつけるように炒め、軽く塩、こしょうをふる。
3. 2.に玉ねぎ、にんじん、セロリを加えて炒め、マッシュルームを加える。
4. 赤ワインを加え、ひと煮立ちさせてアルコール分を飛ばし、デミグラスソース（手作りまたは市販）を加える。
5. 好みのハーブ（バジル、タイム、ローズマリー、オレガノなど）を加えて混ぜながら少し煮て、全体がよくなじんだらウスターソース、塩で調味する。
6. ゆでたてのスパゲッティに5.のミートソースをかけ、パルメザンチーズのすりおろしをたっぷりかけていただく。

（『わたしの味——選びに選んだ80のレシピ』、26頁）

第2戦 昼の主菜

実食コメント

H・T…………

勝者 スパゲッティミートソース

理由 どっちもピンとこなかった。どちらかといえばミートソースという感じ。そもそもカツ代の「じゃが芋スパゲティ」は、なんでジャガイモをいれるのかわからなかった。おしゃれ？　いや、むしろ田舎料理っぽい。味に変化？　いや、淡白なジャガイモではうまくいっていない。栄養的にも炭水化物のみだった。そして細切りのジャガイモはフォークとスプーンでは食べにくいだろう（試食では箸を使ったが最後までジャガイモが残っていた）。これはまるで箸で食べることを前提としたペペロンチーノもどきで、ペペロンチーノよりカッコよく食べることもできない。どちらかといえば、ミートソースがおいしかった。が、はるみのミートソースは、食べ慣れない味だった。個人的にはもっと単純にトマトっぽい味がしてもいいと思った。ケチャップを入れたらいい！そういえばうちでは母がミートソースを作ることってあまりなかった。洋食といえば、パッと見て子供が喜ぶゴルショーク（筆者注：シチューを壺などに入れパイ生地を被せて焼きあげたロシア料理）とか、生クリームのかかったビーフシチューとか、わかりやすかった（今もだが）。凝ったミートソースは、わかりにくい。大人向けだと思う。それか、田舎から出てきた私だから食べ慣れないのかもしれない、とも思う。

K・S…………

勝者　スパゲッティミートソース
理由　ミートソースは懐かしい学生街の味で美味しく頂きました。ただし、栗原はるみさんのイメージはこれでいいのかと人ごとながら心配です。じゃが芋スパゲティは、たとえれば、休日に父親が子供に出す、子供は喜んでワシワシ食べる、でも栄養バランスを気にする母親は怒る、そんな一品です。

T・K…………

勝者　スパゲッティミートソース

理由　キューピー的なトマト味ミートソースではなくボロネーゼという印象。その意味で「きょうの料理」的なオーセンティックさがあるが、スパゲティというカジュアルさに加えて、たっぷりの野菜を使っていることで、子供にも食べさせたいと思えるのではないか。とはいえ、古めかしい味で、もはやドミグラスソースはごちそう感をもたらさないと思うので、いま使える感じはしないけれど、かつては少し特別感のある、家庭で使いやすいレシピになっていたのかもしれない。じゃが芋スパゲティは、単調な味を見た目でごまかしている感じがあり、見た目を良くするパセリが味に効いていないように思える。これならペペロンチーノとじゃがいものサブ一品を作る。

A・K…………

勝者　じゃが芋スパゲティ

理由　僅差だが、手早く簡単に作れ、食材も少なくてペペロンチーノより食べごたえのある「じゃが芋スパゲティ」は使えるレシピと思う。夜食に良さそう。ミートソースについては、どうしても「ミートソースはこういうものではない！」と思ってしまう。実家で食べていたミートソースは、ひき肉とにんじんと玉ねぎを炒めてケチャップとウスターソースをたっぷり同量くわえた（水なし）もので、子供っぽい味と言われればそれまでだが、旨味たっぷりの肉汁を求めて今でも時おり作ってしまう。上品で抑制の効いたはるみのミートソースには物足りなさを感じた。

結果　**1―3で栗原はるみ「スパゲッティミートソース」**

小林カツ代……1勝
栗原はるみ……1勝

第二章

カレーライスでもいい。
ただしそれはインスタントではない

象徴的思考とこの思考の集団的形式をかたちづくる社会生活とが生みだされたときの、沸き立つ感情と熱気の充満する雰囲気は、いまでもその蜃気楼で我々の夢想を熱くする。交換法則の裏をかいて失わずして獲得し、分け与えずして享受することのできると信じられた、あのつかのまの瞬間をつかみとり固定することを、今日まで人類は夢見てきた。世界の端と端、時間の二つの極みでシュメール神話とアンダマン神話、黄金時代と来世が響き合う。シュメール神話は、諸言語の混淆が語をすべての人の共有物に変えた瞬間に原初の幸福の終わりを置き、アンダマン神話は、女がもはや交換されなくなる天国として彼岸の至福を描く。いずれの神話も人が自分とのあいだでだけ生きていける甘美な世界、社会的人間には永遠に与えられることのないその幸福感を、過去か未来かの違いはあれ、等しく辿りつけない果てへと送り返しているのである。

〔クロード・レヴィ＝ストロース、二〇〇〇『親族の基本構造』、福井和美訳、青弓社、七九五頁〕

手作りと簡易化

本章で中心的に扱うのは一つの矛盾、一つの謎である。

第一章で私は次のように書いた。「白米を中心に和洋中の美味しい一汁三菜を女性（妻／母）が心をこめて手作りすることが家庭生活の潤滑油になる」という家庭料理の理念的なあり方は高度経済成長期（一九五〇年代中盤～一九七〇年代前半）に確立された、と。

しかしながら、この時期はインスタントラーメン（一九五八年「チキンラーメン」発売）、カレールゥ（一九六〇年「印度カレー」発売）、即席味噌汁（一九六一年山印醸造製造開始）、ダシの素（一九六二年「ハイミー」、一九七〇年「ほんだし」発売）、チルドハンバーグ（一九七〇年発売）といった家庭用加工食品のブームが次々と起こり、広範囲に食の簡易化が進められた時期でもある。

手作りの重視と食の簡易化という、一見すると矛盾しているように思われる二つの特徴はいかに共存していたのだろうか。まずは、この当時、実際に家庭料理を作っていた人々の発言を検討してみよう。

一九九〇年代後半から二〇〇〇年代前半にかけて（株）アサツー ディ・ケイで「食ＤＲＩＶＥ®調査」を実施した岩村暢子の『変わる家族　変わる食卓』は、一五一世帯の調査に基づき、「朝は起きないお母さん、お菓子を朝食にする家族、昼をひとつのコンビニ弁当で終わらせる幼児と母、夕食はそれぞれ好きな物を買ってくる家族」といった食卓のあり方を克明に描きだし、家庭における食の変容を強く印象づける著作である。[1] 主な調査対象は一九六〇年代以降生まれの主婦だが、本書に対する最も多い反応は「この主婦たちの親、つまり今のおばあちゃん世代まではきちんとした昔ながらの食事を作ってきた人たちのはずですよね。それなのに、それを食べて育った主婦たちは、どうしてこんなふうになってしまったのですか」という質問だったという。[2]

そこで岩村らは、これまでの調査対象であった一五一名の主婦の母親に対する面接調査を開始し、それを「『親の顔が見てみたい』調査」と名付ける。調査対象は二〇〇四年当時五四歳から七七歳であった母親四〇名。一九七〇年には二〇～五三歳だった彼女たち（平均三〇・五歳）は、ちょうど一九六〇～七〇年代に家庭料理に携わっていた人々である。

【1】岩村暢子、二〇〇三『変わる家族　変わる食卓――真実に破壊されるマーケティング常識』、勁草書房。

【2】岩村暢子、二〇〇五『〈現代家族〉の誕生――幻想系家族論の死』、勁草書房、二頁。

岩村らが調査した現代主婦（娘世代）の食卓について語ると、母親世代は一様に驚きを隠さなかった。彼女たちは、「『今の若い家族ってそんな食べ方をしているんですか？』」、『そういう食事をしていて、子供たちの身体は大丈夫なんでしょうか』など、信じられないという様子を示す。例えば、シフォンケーキとカップ麺、残り物のコンビニ総菜などをバラバラと食卓に並べて食べている親子の昼食光景に『ヒドいですねぇ。食事はもっときちんと作らないと駄目ですよ』とため息をつく母親もいる」。母親たちは、岩村らが示す現代の主婦のあり方に対して「これは、子供のころからいい加減な食生活をしてきた特殊な人でしょう」と言い、自分の娘はそのような現代主婦とは違う「まっとうな人間」だと語る。だが、このように語る母親の娘は、実際にはカップ麺やコンビニのおでんを愛用し、子供の朝食に甘い菓子パンを食べさせている、と岩村は指摘する。[3]

母娘の認識のギャップを示した上で、岩村の分析は「では母親世代はどのように食事を作ってきたのか」という問いに移る。そこで示されるのは、彼女たちが（一）戦中・戦後に幼少期を過ごしたために昔ながらの家庭料理を満足に食べることのなかった歴史的に特殊な「家庭食断絶の世代」であること、（二）戦後に登場

【3】同書、五一一一頁。

した家電や料理書、加工食品などを次々と取り入れ、自分の母親世代とは断絶した新しい食生活を実現してきた人々であること、（三）子育て期に個の尊重を重視する教育観の強い影響を受けており、幼少期や結婚後に料理や家事を娘に教えることを回避する傾向が強いこと、などである。特に（二）に関して、母親世代が食の簡易化に極めて肯定的であったことが以下のように示される。

「あのころ（一九六〇年代）、新しく出てくる便利なものはどんどん使いました。インスタントラーメンなんて、『そんなにインスタントラーメンばかり食べさせて大丈夫？　身体に悪くない？』と人に言われるくらい作って食べさせましたよ」（七三歳）と言った母親がいる。「子供が小さいころ、インスタントラーメンは野菜や卵を入れて昼食によく食べさせました。簡単にできてとても便利なものだと思いました」（六七歳）とか「子供を育てていたときにインスタントラーメンが出てきたので、これはいいと思って箱で買って使うようになりました」（六六歳）と言った母親もいる。「……」「主人は、昭和四〇年（一九六五年）ころインスタントは子供の体に悪いんじゃないかと言って食べさせなかった」と言う母親（六二歳）は、「主人たら、インスタントのプリンミクスが既に売っているのに、私に卵と牛乳でプリンを作らせたり、粉末ジュースの時代だったのにできているジュースしか飲ませなかったり、インスタントラーメンさえ嫌がったんです」と、周りはプリンもジュースもラーメンもインスタントで作る時代になっていたのに我慢しなければならなかったことを不満げに語っている。［……］インスタント化、あるいは簡便化は、「煮物」や「味噌汁」などの作り方や味も、変えたことに注意しなければならないだろう。「結婚当初は煮干しや鰹節も使っていたけど、まもなくハイミーやダシの素を使うようになりました。使ってみたら手軽で美味しいと思いました」（六七歳）、「ダシは結婚したころ少し鰹節を削った記憶もあるんですが、いつの間にか粉末になっていました。初めて粉末を使ったとき『美味しいなぁ』と思いました」（六八歳）とか「実家の母は煮干しや鰹節でダシをとっていましたが、私は早くからダシの素です。自分で鰹節でダシをとったのはお正月やお客さんが集まるようなときくらいで、うどんなんかも当然つゆの素を使って作ります」（六六歳）、「ダシはやっぱりダシの素を使います。ダシの素にしてからもう何十年でしょうか」（七一歳）などと言うのである。[4]

「母親世代までは昔ながらの食事を作ってきたのにそれを食べて育った娘たちの食卓はなぜここまで変わってしまったのか」という問いに対して、岩村は次のような二段階の解答を提示する。

第一に、母親世代は決して昔ながらの食事を作ってきたわけではなく、戦前の食を継承せずに、戦後に普及する料理メディアや加工食品を次々と取り入れて家庭の食を大きく変えてきた人々である。第二に、終戦直後の転換期に育った彼女たちは価値観の根本的な革新を肯定する人々であり、個の尊重を重視する教育観の強い影響もあって、食だけでなく様々なことを娘世代に教示することを避けてきた人々である。[5]

だが、この二段階の解答は強力ではあるが極めて不明瞭な論理を構成している。第一の解答は、簡易化の肯定において母と娘の連続性を強調する。一九六〇年代にインスタントラーメンばかり食べさせていた母親の娘が、一九九〇年代にカップ麺を食卓に供しているのは不思議ではないように見える。とはいえ、母親世代は調

【4】同書、一〇〇―一〇三頁（括弧内は原文ママ）。

【5】同書、二七七―二八一頁。

査が示す娘世代の食卓に驚き、「食事はもっときちんと作らないと駄目」だと言う。こうしたギャップは第二の解答によって説明される。母親世代は「昔ながら」ではないにしてもきちんとした食事を作ってきたのだろうが、娘世代にそれを継承させようとしなかったため食卓に劇的な変化が生じた、ということになる。

母親世代から娘世代への移行は、食の簡易化や「手作り」の崩壊という基本的な方向性において捉えられ、両世代の共通性（簡易化の肯定）と断絶（料理継承の拒否）がともにこの方向に食を進める要因とされる。しかしながら、常に新しいものを求めるはずの母親世代はなぜ娘世代の「菓子パンの朝食」や「コンビニおでんの昼食」を肯定しないのか、それらの「家庭料理」は母親世代が肯定する「野菜や卵を入れたインスタントラーメンの昼食」と同じように簡易化された食なのか、そもそも母親／娘世代はどのように食の簡易化を肯定したのか、といった疑問は放置されている。

岩村の記述は、「本来の家庭料理のあり方が今やどんどん壊れつつある」というラインに沿って組織されている。「本来の家庭料理」なるものがどこかに存在しているはずだという一般的な発想を自明視した上で、そこからの「堕落」が丹念に描かれる。こうした論法をとる限り、家庭料理の変遷において何が新たに肯定／否定され、食をめぐるいかなる価値が生みだされていったのかは不明瞭なままである。

これに対して、本章では「食の簡易化」と「手作りの重視」が齟齬を伴いながら共立することこそが、一九六〇〜七〇年代に家庭料理の基本的なあり方を確立させ、駆動してきたという視角を提示する。そのために、まず、岩村が完全な断絶として捉えた戦後の主婦たちと戦前におけるその母親世代の料理をめぐる関係性を改めて検討することから考察を進めたい。

村の味

前章でも言及した生活史研究家の阿古真理は『うちのご飯の60年——祖母・母・娘の食卓』において、自らの母と祖母からの聞き取りに基づいて自分を含む三世代にわたる家庭料理の歴史を描いている。

阿古の母・秀子は、一九〇三年生まれの祖母・秋子、一八九六年生まれの祖父・正一の間に、八人兄妹の四番目の娘として生まれる。一九三九年生まれの秀子は、一九七〇年には三一歳で、岩村らの調査における「母親世代」の平均年齢（三〇・五歳）にほぼ等しい。

島根県との境に近い広島県山県郡筒賀村で材木商を営んでいた祖父とお見合い結婚した祖母・秋子は、マメに働くしっかり者で、コンニャク芋をわざわざ買ってきてコンニャクを作ったり、豆腐を自作したり、村でいち早く編み機やミシンを買った器用な人であった。家で食べる食料の大部分は、あちこちを開墾して増やした家の田畑で育てる。家の前の畑にはトマト、茄子、キュウリ、ネギといった直ぐに必要なもの、少し離れた畑には大根、白菜、広島菜、タマネギ、サツマイモ、ジャガイモなどの大量に作って保存できるものがあり、田んぼのあぜ道のトウモロコシ、家の庭に植えられた木になる柿やイチジクは子供たちのおやつになる。納屋の隣には鶏小屋があり、叔父の趣味で様々な鶏を飼っていて、来客があればつぶして鶏すきや煮物にする。祖父が所有する山には、野イチゴ、桑の実、シメジ、ワラビ、フキなど、おやつやおかずになるものが生えている。村には八百屋や肉屋はなかったが、なくても生活には困らなかった。この時代、作物を育てて収穫する、食べ物を売り買いする、料理して食べるところまで、食べることにまつわる全てを「食べごと」と言った[6]。

現代では産地からスーパーマーケットへ、スーパーから家庭の冷蔵庫へ運ばれることではじめて手元に届く食材の大部分を、祖母たちは自らの畑で作り・収穫し・調理する。調理のプロセスに対する家庭人の関与の度合いは、スーパーや冷蔵庫やガスコンロが普及した一九六〇〜七〇年代の主婦たちとは比べものにならないほどに高い。この時期の家庭料理は圧倒的に手作りであり、だからこそ、そこに「手作り」という観念が繁殖する余地はない。

機械化が進んでいない当時の農村では、女性が一人で家事をこなすことは難しく、飯炊きや風呂の燃料となる薪割りは大人の男性の仕事、農作業や洗濯や飯炊きには子供が不可欠な労働力となる。普段の料理は一汁一菜が基本であり、家で作った味噌を用いた汁物、畑で採った大根や白菜を漬けたもの、おかずは野菜の煮物やキュウリもみ、豆腐や魚（島根県の漁港から行商が来ていた）は週に一回程度で、肉はめったに食べない。代わり映えしない毎日の食卓に対して、子供たちが心待ちにしていたのは、田植え祭り、お花見、お盆、秋祭り、報恩講、正月といった年中行事で供される特別な料理であった。例えば報恩講での秀子の「一番の楽しみ

【6】阿古真理、二〇〇九『うちのご飯の60年——祖母・母・娘の食卓』、筑摩書房、一三—一六頁。

は、八寸に入ったかまぼこ。それから、みかん。手作りのようかん。そしてサツマイモで作った巾着などの甘いもの。すり鉢で大豆をすりおろして作った呉汁。大豆のうま味が味わい深い、これも大好き。ほかに、大根やニンジンとサバの入ったなますや、昆布やゴボウ、ニンジン、小芋、大根、コンニャクなどが入ったお煮しめがあった。美しい器に入った5種類の御膳は、ふだん食べている、茶色っぽい地味でかんたんなおかずとは比べものにならない、お祭りにふさわしい華やかなごちそうだった[7]」。

こうした祖母世代の料理には「我が家の味」という表現は相応しくない。毎日の食事は、その土地でその時期に採れる食材を用いた簡素なものであり、食べる楽しみを提供するごちそうは村人が共にいただく行事食である。つまり、この時期の家庭で食べられる料理とは村の味、共同体の味であり、世帯毎に異なる「我が家の味」ではなかったのである。

【7】同書、二二頁。

阿古真理の母・秀子は、昭和二〇年代（一九四五〜五五年）には、広島の女学院や洋裁学校に通っていた姉たちを通してフルーツポンチや缶詰のパイナップル、素揚げドーナッツなどの「ハイカラな」お菓子、ハヤシライスやチャーハン、カレーライスやコロッケを味わっている。一九五六年に中学を卒業した秀子は、終戦後一〇年弱で近代都市に生まれ変わった広島の女学校に進学し、そのまま市内で就職した二〇代のころ、大阪の商家の出である文雄と出会い、出身地も親の職業も異なるもの同士の結婚に困惑する双方の親をなんとか説得し、結婚して一九六四年に関西に移る。大阪の郊外に賃貸アパートを借り、のちに分譲マンションを購入する。

立ち流し式のキッチン、冷蔵庫や洗濯機、ガスコンロや換気扇に囲まれ、当時全盛期を迎えた主婦向け雑誌や料理番組（『主婦の友』や「きょうの料理」）を参考にしながら、広島で味を覚えた洋食を中心にレパートリーを増やしていく秀子の様子を、娘の真理は次のように描いている。

新婚の秀子は、ヒマを持て余していた。スーパーに行けば日々の食事はまかなえたし、田舎の広い家と違って、1DKの狭いアパートの掃除はすぐに終わってしまう。余ったエネルギーを料理に注ぎこんだ。というか、この時代、料理こそが主婦の腕の見せどころだった。新婚女性のたしなみとして、料理本を何冊も買い、『主婦の友』を毎月購読していたから、料理情報は豊富にあった。［……］秀子は、新婚の3か月間、一日として同じ料理を食卓にのせなかった。カレーを作りハヤシライスを作り、コロッケを作り、てんぷらを作る。魚は煮つけや焼き魚にもしたが、フライやムニエルにアレンジして目先を変えていく。和食と違ってあまり食べたことがない洋食は、けっこう手間のかかるものだったけれど、自分なりの工夫ができたし、新しいことに挑戦するほうが新米主婦としては楽しかった。文雄が特に不満をいわなかったこともあり、秀子の作る料理は、洋食や中華のメニューが増えていった。美味しいものが大好きで、好奇心旺盛な若い主婦だった母は、たぶん自分でも新しい料理を食べてみたかったのだ。［……］高度成長期に成長したのは、スーパーなどの企業だけではなかった。経済発展を支える家庭の食卓も、品数がふえ、栄養バランスと盛り付けの美しさまで考慮した、バラエティ豊かな献立の料理を日替わりで提供する、豊かなものとなる。家業をもたないサラリーマン家庭で、妻の役割は、外でお金を稼いでくれる夫のために家庭内の労働をいっさい引き受けることだった。妻の手の込んだ料理は、稼いでくれる夫に対する報酬になった。[8]

三カ月のあいだ毎日新しい料理を作り続けた秀子の姿は、一見すると、インスタントラーメンやプリンミックスやダシの素を存分に活用する岩村の描く母親世代の姿とは対照的に見えるかもしれない。一方は「手作りの重視」、他方は「食の簡易化」として。

しかしながら、秀子の多彩な「手作り」料理を支えていたのもまた、「食の簡易化」を進めてきた諸関係の変化に他ならない。祖母世代が自分の畑で食材を育て、味噌やコンニャクを自作し、薪で火をおこすところから「手作り」していたのに対して、秀子が扱うのはスーパーで購入した食材であり、その調理もまた、スーパーで購入できる食材を前提にして構成された料理レシピ、すぐに着火するガスコンロ、高火力での炒め物や揚げ物を可能にした換気扇、馴染みのない洋食や中華の味付け

【8】同書、一〇五―一〇八頁。

を簡単にしてくれる化学調味料によって簡易化されている。意外に思われるかもしれないが、江上トミや土井勝といった有名な料理研究家がこの当時に著したレシピの多くに化学調味料やその商品名が記載されている(ただし、その表記は八〇年代以降に彼女たちのレシピ本が復刻されるにつれて次第に消去されていく)。

最新の調理機器、標準化された多様なレシピ、次々と発売される加工食品、それらを自分一人が掌握する台所に集結させ、組織化し、創意工夫しながら活用していくことで、秀子の多彩な「手作り」料理は可能になる。阿古は「時間的にも経済的にもゆとりがあった母の世代の主婦には、毎日がごちそうのような食卓を整えてきた人がたくさんいる」と述べているが[9]、手の込んだ料理に励む彼女たちの姿は、岩村が調査した同世代の主婦たちの姿からさほど遠いところにあるわけではない。

このように、岩村の言う「母親世代」、六〇~七〇年代に家庭料理を担うことになった人々において、「食の簡易化」と「手作りの重視」は必ずしも矛盾していなかった。第一章でも指摘したように、料理において一〇〇%の手作りなど存在しえない。「手作り」が自分の手で一から料理を作り上げることを意味するのであれば、素材を手ずから調理したとしても、素材となる動植物を育てること、そのために牧

【9】同書、一二八頁。

場や土壌を耕すこと、種や肥料、水や酸素を用意すること、それらを生み出す地球という惑星を作りだすことさえ必要になってしまう。あるいは逆に、少しでも人間が手を使って調理に関与した料理を「手作り」とするならば、弁当工場で働く人々がベルトコンベアを流れる容器に手作業で中身を盛り付けたコンビニ弁当も「手作り」だということになる。

だが、一九六〇〜七〇年代に進展した食の簡易化、家庭料理に関わる諸要素の商品化（スーパーの食材、家電、料理レシピ、化学調味料など）は、祖母世代における「食べごと」の大部分を家庭の外に転置していく。それによって、それらの商品を家族に供する料理へと変換する主婦の作業を「手作り」として浮かび上がらせることが可能になったのである。

大半の食材を自分の家の畑で収穫しそれを煮物や漬け物にした祖母・秋子の料理において、わざわざ「手作り」であることを強調する必要はない。だが、標準化されたインスタントラーメンに好みの野菜や卵を入れること、テレビや雑誌で伝えられる大量の情報から好みのレシピを選び自分なりに工夫し家族の好みにあわせて調理することは、標準化された料理からの差異を生みだす「手作り」としてマークされる。手作りの「我が家の味」とは、祖母世代において地理的・社会的コンテクストに埋め込まれていた家庭料理が、流通や情報や器具の標準化を通じて脱埋め込み化され、誰でも/どんな場所でも大体同じように調理することが可能になったからこそ生まれる差異であり、個性なのである。

ねじれた継承

とはいえ、秀子の多彩な「手作り」料理は、祖母・秋子の「村の味」から完全に切り離されているわけではない。後者から前者の間には、明らかな齟齬、そっけない否認と同時に、ねじれた継承を見いだすこともできる。

結婚前の大学生時代、秀子は映画館や喫茶店などが増えつつあった広島市で遊びやサークル活動で忙しくしていたが、久しぶりに故郷・筒賀村に帰省する。「次兄が継いだ家は、大改築がされて近代的になっていた。精米機を置いていた土間は、ソファと本棚を置いた応接間になり、台所は板の間にステンレス製の立ち流しが置かれ、ガスや水道が通っていた。炊飯器や冷蔵庫もある[……]新しい台所を見た秀子の感想は「都会的になった」とだけ。都会で、たくさんの人とモノと文化のなかで暮らす若い娘にとって、台所が立って作業ができる板の間になった大革命も、家電製品が入ったことも、数限りなく体験した暮らしの変化の一つにすぎなかった」と真理は記している。[10]

こうした、母親世代から祖母世代への冷淡な視線は、岩村らの調査においては台所の設備だけではなく調理手法にも及んでいる。テレビの料理番組や主婦向け雑誌、料理本などで標準化されたレシピに馴染んだ母親世代は「例えば『ウチの母は目分量でさっとやっていましたが、私は「大さじ何杯」っていう方が味がちゃんと決まっていて完全に調理できる感じがします。第一分かりやすい』(六三歳)とか、『ウチの親は「大さじ何杯」というのではなく自分の味加減で料理していたから、結婚したとき母のやっていたことは思い出しても全然わからなくて、味噌汁さえ親に聞くよりも江上トミ先生の本を見ながら計って作りました』(六〇歳)などという発言に代表されるように、勘や目分量など自分の身体で『加減』を覚えるよりも、明確な計量表示に従うことを合理的で正しく分かりやすいと思うよう」になっていった。[11]

【10】同書、九二—九三頁。

【11】岩村、前掲書(二〇〇五)、四六頁。

しかしながら、彼女たち母親世代は調理を合理化し効率化すること自体を目指していたわけではない。真理が言うように「料理こそが主婦の腕の見せどころだった」時代において、調理の標準化は、洋食や中華などの新しいメニューを日替わりで食卓にのせ、自らの旺盛な好奇心を満足させると共に「稼いでくれる夫に対する報酬」を生みだすための強力な武器となっていく。

同じ地域で育った男女がお見合いで結婚することが一般的であった祖母世代とは違って、秀子のように出身地の異なる男性と出会って恋愛の末に結婚することが一般的になっていった母親世代では、夫と妻が馴染んできた食のあり方は大きく異なる。彼女たちは、「自分の家で受け継がれてきたものだけでなく、相手の好みも取り入れ、新しい家族の味を築き上げていかなければならなかった。この時代に洋食・中華が受け入れられ浸透していったのは、異なる食文化を背景に持つ夫婦がたくさん生まれたからである。和食の味つけやだしの取り方については、夫婦の好みが違っても、洋食・中華はあまり食べたことがない。新しい味は、出身の違う夫婦に好都合だった」と阿古真理は述べている。[12]

夫婦がお互いの味の好みをすりあわせながら、新しい家族の味を築きあげていく。

【12】阿古真理、二〇一三『昭和の洋食 平成のカフェ飯——家庭料理の80年』、筑摩書房、五〇—五一頁。

「我が家の味」には、標準化を前提にした個性だけでなく、地縁から切り離された若い夫婦が料理を通じて新たな共同性を作りだしていく拠点となることが期待された。そこにおいて、幼少期の秀子が家庭や年中行事で食した「村の味」の記憶は、核家族という共同体をつなげる「我が家の味」に重ねあわされる。阿古は次のように述べている。

秀子の出発点は、着るものから食べるものまで何でも作ることが当たり前だった農村での子ども時代である。洋食や中華の新しい料理が並ぶ食卓の背景には、米や野菜、漬物、味噌、コンニャクまで手作りしていた母親、秋子の姿があった。[13]

しかしながら、「村の味」と「我が家の味」の重ねあわせには、著しいズレが含まれている。後者を可能にしているのはスーパーの食材や料理レシピなど地理的なコンテクストから切り離された標準的な媒体であり、その味わいは夫婦の出身地への依拠を解除する洋食や中華料理の導入によって方向づけられている。

【13】阿古、前掲書（二〇〇九）、一三〇頁。

母親世代には「食べごと」を切り盛りする祖母世代の姿が「お母さん」の手本として残っている一方で、それを支える村のインフラ（畑や山や隣人や過去との密接なかかわり）から彼女たちは既に遠く離れている。次第に意識化されなくなる標準的インフラのなかで過去の記憶が反復されることを通じて、過去にも現在にも還元できない理念が生まれる。それこそが、「和洋中の美味しい一汁三菜を女性（妻＝母）が心をこめて手作りすることが家庭生活の潤滑油になる」というイメージであり、「食の簡易化」と「手作りの重視」が共立するなかで生みだされる「我が家の味」である。

阿古は、「品数をそろえ、日替わりにして、彩りをよくして、ときどき手の込んだ料理で目先を変え、つぎつぎと新しい料理を披露する。料理に手をかけることを求められ、主婦たちがそれに応えたのは、そこに彼女たちの存在意義をかけた闘いがあったからだ」と述べているが、[14] それは同時に、村落共同体における食を通じた繋がりを、都市郊外の核家族単体で実現しようとする戦いでもあった。

このように考えると、岩村の議論において放置されていた、常に新しいものを求めるはずの母親世代はなぜ娘世代の「菓子パンの朝食」や「コンビニおでんの昼

【14】阿古、前掲書（二〇一三）、四七頁。

食」を肯定しないのか、という疑問にも答えることができる。母親世代において食の簡易化は「手作り」が介入する範囲を調整することで家族の共同性を構築するための手段であり、食の簡易化が端的に「我が家の味」を否定しているように見える状況を肯定することは難しいのである。

家庭料理の標準化と簡易化が推進されるなかで、その対極にある（と同時にそれが可能にする）ものとしての「手作りの凝った料理」が理想化される。この運動は、主に家庭料理に携わる主婦たちの「存在意義をかけた闘い」によって駆動されただけではなかった。「手作り」の料理はまた、彼女たちがスーパーで食材を買うための金銭の出どころである給料を稼いでくる夫たちにとっても、家族の共同性を継承する媒体として理想化されていく。その具体的な現われの一つが、家庭的な料理を指す「おふくろの味」という表現である。この言葉を広めた料理研究家・土井勝は、一九六七年から一九八一年にかけて「おふくろの味」を題名に含む複数の料理レシピ本を出版している。そのうちの一冊『おふくろの味』（一九七七年、第三刷）では、映画監督・松山善三と女優・高峰秀子夫妻との鼎談において、以下のような対話がなされている。

松山　それにつけても、お叱りをうけるむきがあるかもしれませんが、電子レンジという一見便利そうな器具が生まれましたね。

高峰　あれは調理するものじゃないんでしょ。ぬくめるだけのものじゃないんですか？

土井　そうです。いろいろな調理をするものではなくて、再加熱と解凍に適した器具です。

松山　そういうふうに的確に言ってほしいですね。あれを調理のプロセスに必要な器具のように思われると大きな間違いがおきる。だいたい食べものに形而上も形而下もないですが、おふくろの味には形而上のなにかがあるような気がするでしょ。おふくろの味にはこころがありますよね。ところが電子レンジにはこころも愛情もありません。

高峰　「熱くなればいいんでしょ！」という思想ね〈笑〉。

「……」

松山　これからのおふくろの味はどんなものになるでしょうか？

土井　私はね。カレーライスでもいい。ただしそれはインスタントではない。おとなりのカレーとも違う。我が家のカレーでなければならない。ラーメンでもいい。ただし、それは母親の手が一手加わったものでなければいけないと思います。

松山　そうだと思います。何か手を加えて自分なりの味を創りあげてゆくことですね。おふくろというのは、何かしなければいけないいんじゃないですか。出来合いのものじゃなくて、ひと手間プラスしてあるもの……。

土井　おふくろの料理のレパートリーが豊かに育った子は幸福だと思います。【15】

【15】土井勝、一九七七『おふくろの味』、講談社、五四—五五頁。

ここでは「おふくろ」なるものが、夫（松山）の記憶のなかにある母であると同時に、自らの子供にとっての母（＝妻＝高峰）でもあるものとして語られている。理想化された「母の味」を妻が継承することによって、子供は幸福に育っていく。土井によれば、それはカレーやラーメンでもいいが「母親の手が一手加わったもの」でなければならない。

これに対して、電子レンジという家電は、「具材を切りそろえて調味料を加えてレンジに放りこむだけでちゃんとした料理ができる」という、家庭料理の純粋な自動化への希望を繰り返し掻きたててきた機械である（現代におけるその範例は、電子レンジを用いた簡単で見栄えの良い料理を提案する人気料理ブロガー山本ゆりのレシピだろう）。だが、だからこそ、調理過程に人の手がかからないように見える電子レンジを用いた料理は、「手抜き」を推進するものとして忌避されてもきた。電子レンジが「調理のプロセスに必要な器具のように思われると大きな間違いがおきる」という松山の発言は、その先駆といえるだろう。

心のこもった「形而上のもの」とされる「おふくろの味」は、しかしながら、「形而下」においてレトルト食品や電子レンジによって促進される食の簡易化・標準化なしにはその輪郭を結びえない。「手抜き」ができるからこそ「手作り」が意味を持つ。家庭で作るとしたら膨大な手間がかかるカレールゥがスーパーで簡単に手に入るからこそ、どの家庭でも同じようなカレーが作れるようになり、そこにひと手間加えて「我が家のカレー」とすることができるようになり、まったく手間をかけないことが「大きな間違い」だと言えるようにもなったのである。

このように、一九六〇〜七〇年代の家庭料理において賭けられていたのは、「食の簡易化」と「手作りの重視」が矛盾することなしに「我が家の味」を構築していくという道筋の成否であり、それが常に上手くいくとは限らない以上、その否定的なイメージとして「手抜き」の蔓延やその結果としての「食卓の崩壊」が繰り返し想起されることになる。

前述した岩村暢子の著作では、娘世代の「昼をひとつのコンビニ弁当ですます母子、夕食はそれぞれ好きな物を買ってくる家族」といった食卓のあり方が「いま普通の家庭の食卓はこんなにも崩れている!」というセンセーショナルな仕方で描きだされる。だが、それが衝撃を与えるのは母親世代から始まった食の簡易化がさらに進んでいるからではなく、食の簡易化が手作りの余地をまったく残さない方向にねじ曲げられ(「コンビニ弁当」)、家族がそれぞれの好みをすりあわせながら「我が家の味」を作っていくことが否定されている(「夕食はそれぞれ好きなものを買ってくる」)ように見えるからである。岩村の記述は、母親世代と娘世代の連続性と断絶を外部から分析したものであるというよりも、それ自体が両者の連続性と断絶を体現するものだと言えるだろう。

「本来の家庭料理」や「おふくろの味」なるものが村落共同体における「村の

味」と核家族における「我が家の味」が重ねあわせられることで生みだされたイメージであるならば、それは歴史のどこにも正確な居場所を持たない。この「創られた伝統」は過去と現在のどちらにも厳密な対応物を持たないがゆえに、過去と現在をつなぐ媒介物として特異な喚起力を発揮してきた。岩村らの調査が暴いた食卓の劇的な変化は、単に事実として家庭料理が変化したことだけではなく、家庭料理と結びついた観念のあり方、その現在を過去につなげる媒介物自体の変化を示しているのである。

贈与の拠点

それにしても何故、これほどまでに家庭料理において「手作り」が問題とされてきたのだろうか。その要因の一つとして考えられるのが、近代社会における贈与関係の拠点としての家庭のあり方である。

かつてマルセル・モースが論じたような非近代社会を全域に渡って駆動する贈与関係は、近代社会においては慎重に抑制され周辺化されているように見える。商品と貨幣を交換する商品売買の論理は、その即時性、対称性、計量可能性、非文脈依存性によって近代社会における社会関係の中核を占めている。一方、時間的な遅延（贈り物にすぐ返礼してはならない）、非対称性（贈り手は受け手に対して優位に立つ）、計量不可能性（贈り物からは値札を外す）、文脈依存性（見知らぬ相手に贈り物はできない）によって特徴づけられる贈与の論理は、年々薄れていく贈答慣習やその商業化された形態（バレンタインやクリスマス等）のなかに辛うじて残っているだけのように思われる。

しかしながら、贈与を通じて連帯を生みだす力が徹底的に周辺化された社会として近代社会を捉える議論[16]は、社会関係から切り離された閉域として家庭を見なす近代的（ないし男性中心主義的）な視角を暗黙裏に前提としている。家庭生活こそ、近代社会が贈与の論理を活用する最大の拠点であり、贈与の論理を交換の論理に接続し（無償の家事や育児によって外で働き賃金を得ることのできる有能で健康な個人を育成する）、交換の論理を贈与の論理に接続する（賃金によって家具や家電を買い揃え、家事や育児を支援する）ことを通じて家庭の外における人々の活動を支える媒体である。

【16】以下を参照のこと。今村仁司、二〇〇〇『交易する人間（ホモ・コムニカンス）——贈与と交換の人間学』、講談社。

家庭の外側における経済活動は、家庭の内側におけるモノとサービスの贈与によって支えられている。後者は前者とは対照的なものであることによって、その固有性を得てきた。したがって、「家庭料理」なるものを消滅させることは簡単である。それを供するたびに金銭を要求すればよいだけだ。だが、家庭における贈与がすべて商品売買になってしまえば、私たちが「家庭」や「家族」として想起するものは維持しえないだろう。家庭料理がその固有性を守ろうとすれば、それは交換（商品売買）の論理に対抗せざるをえないのである。

阿古は、高度経済成長期において「妻の手の込んだ料理は、稼いでくれる夫に対する報酬になった」と述べているが、もちろんその「報酬」とは金銭的な支払いではなく、時間的な遅延、非対称性、計量不可能性、文脈依存性を伴う贈り物である。だが、ここまで検討してきたように、贈り物としての「妻の手の込んだ料理」を支えているのは、調理設備や家電、料理本やスーパーに揃えられた食材といったお金で買える商品に他ならない。

一九六〇～七〇年代の家庭料理は、交換の論理が食卓に導入され続けると同時に、それによって贈与の論理が活性化されるという両義的な運動のなかで形成されている。インスタントラーメンやチルドハンバーグといった加工食品の普及は、家庭料理をお金で買える商品へと変える。その変化を前提として、インスタントラーメンに卵や野菜を入れて「手を加える」こと、チルドハンバーグでも十分美味しいのにハンバーグを「手作り」することに、贈り物としての新たな価値が付加される。調理設備や家電やスーパーの食材によって家事が自動化された結果、「ヒマを持て余していた」秀子は、毎日献立を変え手の込んだ料理を作ることによって贈与の論理を発動させる。だが、毎日違う献立を考えるという習慣が世帯に普及したのは一九七〇年代であり、それ以前は一部の上流階級に限定された贅沢な習慣にすぎない[17]。

交換の論理によって次々と簡易化される家庭料理は、従来は二次的で疑似的とされてきた作業（毎日献立を変える、揚げ物や洋菓子を自宅で作る、新奇な食材や調味料を用いる等）を取り込むことで贈与の論理を絶えず賦活させてもきた。膨大な商品が家庭に浸透し、あらゆる事物が貨幣という媒体によって切り分けられていくからこそ、人と人、人と商品の分節を無効化し家族と世代をひとつにまとめる「我が家の味」が称揚される。こうして、賃労働を基盤とする産業社会に遍在する商品

【17】山尾美香、二〇〇四『きょうも料理――お料理番組と主婦 葛藤の歴史』、原書房、二二〇―二二四頁。

売買の傍らに「失わずして獲得し、分け与えずして享受することのできると信じられた、あのつかのまの瞬間」が夢想されるのである。

明治期からの家庭料理をめぐる言説の変遷を通じて「家庭料理＝愛情」という等式がいかに構築されてきたのかを分析した山尾美香は、国民生活時間調査において一九六〇年と二〇〇〇年の家庭婦人の家事労働時間がともに七時間一二分であることに注目している。彼女によれば、家事の簡易化が大幅に進んだにもかかわらず労働時間が変化していないのは「明治以来、家事労働が愛情表現の手段とされてきた結果、家事労働には『手抜き』が容赦されず、疑似労働を取り込んで膨れ上がっていったから」である。[18]

だが、問題は単に「家庭料理＝愛情」という等式がメディアによって構築されてきたことにあるのではない。新婚当時の「暇をもてあました」秀子のような人々が、外で稼いでくる夫に対し手のこんだ料理という贈り物を与え、自らの「存在意義をかけた闘い」に挑んでいかなければ、家庭料理＝愛情というメディア言説も説得力を持ちえなかっただろう。料理において一〇〇％の手作りなど存在しないという本章の指摘もまた、「手作りの家庭料理」の構築性を告発するものではなく、「手作

【18】同書、二三四頁。

り」という概念が、明確に定義できないものにもかかわらずいかにして有効なものとなってきたのかを考えるために提示されている。

　家庭料理において何が「手抜き」とされるかはあらかじめ確定できない。朝食に菓子パン、昼はコンビニ弁当、夕食にカップ麺を供する「娘世代」のなかには、有名店の味を模倣したパンや精巧なキャラ弁といった新たな「手作り」の領域を開拓していった人々が含まれる。

　次章では、現代につながる二〇〇〇～二〇一〇年代における家庭料理の変遷を追跡する。だが、その前に、小林カツ代×栗原はるみレシピ対決五番勝負の後半戦をお送りしたい。そこに現れるのは、「手づくり」と「手抜き」の区別を無効化するアイディア料理によって「おふくろの味」を賦活しようとするカツ代と、家庭料理を外食に接近させながら「おふくろの味」を「ゆとりの空間」の味へと変換しようとするはるみの、静かな戦いである。

実食！

小林カツ代×栗原はるみ
レシピ対決五番勝負（後半戦）

第3戦

夜の副菜

夕食のサブメニューは、

たらこの煮物とニョッキという異色の組み合わせ。
とはいえ、前者は日本酒のあてにもご飯のおかずにもなり、
後者はワインやバゲットに添えることもできる。

二人が提示する異なった家庭料理のスタイルのなかで、
酒と「主食」をつなぐという似た役割を果たす二品の対決となった。

大根たらこ煮

KOBAYASHI Katsuyo

小林カツ代

作り方

1. 大根は皮をむき、1㎝厚さの半月に切る。かぶるくらいの水を加えて竹串がスーッと通るまで下茹でする。冷凍のグリーンピースはサッと熱湯をかけておく。
2. 鍋に［酒、水、しょうゆ、砂糖］を入れて火にかける。フツフツしてきたら、たらこを入れる。強めの中火でときどき汁をかけながら10分煮る。中まで火が通って、コテッとかたまったら取り出す。
3. 2.の汁に熱湯カップ1/2と大根を加え、ふたをして中火で10分煮る。グリーンピースを加え、もう5分煮る。
4. 2.のたらこを2～3つに大きくちぎってのせる。しょうが汁を回しかけ、もう1分ほど煮て火をとめる。

（『決定版　小林カツ代の毎日おかず』、102頁）

じゃがいものニョッキ、レンジトマトソース

KURIHARA Harumi

栗原はるみ

作り方

1. レンジトマトソースを作る。耐熱ボウルに玉ねぎとにんにくを入れ、オリーブオイルをかけてラップし、電子レンジで約４分加熱する。ホールトマトをつぶして缶汁ごと加え、顆粒コンソメ、塩、こしょうで調味する。
2. ニョッキを作る。じゃがいもは皮をむいて４つ割にし、水にさらして水気をよくきる。キッチンペーパーを敷いた耐熱ボウルに入れ、ラップをして電子レンジで約４分加熱する。ペーパーをはずし、じゃがいもが熱いうちになめらかにつぶし、バターを加える。
3. 2.に強力粉と薄力粉をふるい入れ、塩をふってよく練り混ぜる。生地を二等分にしてそれぞれを棒状にのばし、2～3cm幅に切る。表面をフォークで軽くつぶして格子状に編み目をつける。
4. 鍋にたっぷりの湯をわかし、3.をゆでる。うきあがってきたらざるに上げる。
5. 器にゆでたてのニョッキを盛り、熱いトマトソースをかける。パルメザンソース、粗びきこしょうをおろしかけ、バジルの葉を添える。

（栗原はるみ、2010『おいしくたべよう。――素材をいかすレシピ133』、集英社、74頁）

第3戦
夜の副菜

実食コメント

H・T……………

勝者　じゃがいものニョッキ、レンジトマトソース

理由　手をかけただけある。ニョッキは珍しいし、見た目にも楽しい。若干「すいとん」にも似た、クニョクニョとした食感も良い（むしろトマト味のすいとんなら簡単で良いのではないか？）。私にとってはすいとんがうどんで代替できないように、ニョッキはスパゲティでは代替できない。この柔らかなフォルムとクニョクニョがなんとも言えない幸福な感じをもたらすからだ。茹でたジャガイモをつぶした料理が個人的に好きなのもある。ポテトサラダとか、コロッケとか。しかしこれらはついつい食べ過ぎて、いつも胸焼けを起こす。トマトソースのニョッキはその点でも、野菜の

酸味があり爽やかでよい。というわけで本対決は、手間の勝利と言えよう。たしかにバゲットがあればちょうどいいし、なくてもワインがあればすごくいい（大根のたらこ煮がピンとこなかったのは、冷めていたせいもあるが、この頃にはビールを飲みすぎていたせいか生姜の微妙な味がよくわからなかったためだと思う）。

K・S…………

勝者 大根たらこ煮
理由 ニョッキは美味しいけど普通、パンチがやや足りないです。大根とたらこは、ありそうでない取り合わせ、味を出す役割と染みる役割のバランスがよかったです。それにしても最近のグリーンピースって美味しいですね。

M・I…………（埼玉県川越市出身・在住）

勝者 大根たらこ煮

理由　大根とグリーンピースとたらこの組み合わせが意外と良い。味が染みたたらこ、触感がプチプチしておいしかった。味が染みたグリーンピースも意外と和食っぽい味で結構おいしい。ニョッキの方はトマトソースの味にもう一工夫ほしかった。

T・K…………

勝者　大根たらこ煮

理由　たらこの旨味を大根とグリーンピースに染み込ませ、清涼感のあるしょうが汁でまとめるテクニックは見事。カツ代の構想力が遺憾なく発揮された一品。酒を飲みながらだとなお染みる。ニョッキは美味しいのだけれど、平凡な美味しさ。ニョッキではもはや驚きを得られない我々にとって、手間をかけてこのレシピを作るなら、トマトソースニョッキじゃなくてトマトソーススパゲティで良いと思ってしまう。

A・K…………

勝者　大根たらこ煮

理由　たらこ煮を作るのは三回目なのだが、これまではレシピ指定の煮汁がかなり少ないので焦がすことを恐れて煮汁全体の分量を増やしていた。今回レシピ通りに作って、少ない煮汁で十分煮ることでタラコの味を煮汁に閉じ込め、その煮汁を下茹でした大根とグリーンピースに全て染み込ませ、最後にショウガ汁でさっぱりした後味をつけるという、このレシピ本来の狙いがよくわかった。ピンクのたらこに白い大根、緑のグリーンピースという禍々しい色合い、意外な組み合わせの食材が不思議とまとまっていく過程は何度作っても楽しい。はるみのレシピは、ニョッキというとレストランで食べることが多いため、簡単にお店に近い味がつくれるのは凄いと思う一方、だからこそお店の味と比べやすいので、ニョッキの食感やソースの絡まり具合などの点で一段劣るように感じてしまった。

結果　4—1で小林カツ代「大根たらこ煮」

小林カツ代……2勝
栗原はるみ……1勝

実食！

小林カツ代×栗原はるみ

レシピ対決五番勝負（後半戦）

第4戦

夜の主菜

夕食のメインは、

家庭で作られる洋食のなかでも
ポピュラーなロールキャベツと煮込みハンバーグの対決。
料理名の一部でもある調理過程を削除してしまうカツ代の大胆な発想は、
近年の「おにぎらず」にも通じるものがある。

一方のはるみは、
野菜のヘルシーさと肉類のボリューム感を両立させる、
彼女が最も得意とするスタイルの一品。

食べるとロールキャベツ

KOBAYASHI Katsuyo

小林カツ代

作り方

1.　キャベツは根元を切り落とし、芯はつけたままで四つ割りにする。にんじんは1cm厚さの輪切りにする。豚ひき肉に塩とこしょうを混ぜておく。

2.　厚手の大きい鍋の中を水でぬらし、キャベツ、にんじんを詰め、［水、顆粒チキンスープの素、トマトジュース（有塩）、トマトケチャップ、ウスターソース、バター］を加えて中火にかける。

3.　煮汁がフツフツしてきたら1.のひき肉を加える。再びフツフツしてきたら、ふたをして弱火で約50分間煮る。途中、焦げつかないように、木べらで鍋底から動かす。もっとやわらかく煮たいときは、途中で湯を足して、さらに10～15分間煮る。

4.　いったん火をとめ、キャベツとにんじんを取り出して器に盛る。

5.　鍋に水溶きかたくり粉を加えて混ぜ、固まっているひき肉をつぶしてほぐし、再び中火にかけてフツフツ、トロリとするまで煮る。これを4.の上にかける。

（『まだまだ見たい！　小林カツ代のベストおかず』
（NHKテレビテキストきょうの料理2015年2月号臨時増刊）、56頁）

煮込みれんこんバーグ

KURIHARA Harumi

栗原はるみ

作り方

1. れんこんは皮をむいて8㎜の角切りにし、水にさらして水気をよくきる。玉ねぎは粗みじん切りにする。カリフラワーは小房に分けて切り、かためにゆでる。にんじんは皮をむいて1.5～2㎝幅の輪切り、または半月切りにし、かためにゆでる。マッシュルームは石づきを取る。
2. ボウルに合いびき肉を入れ、卵、薄力粉、塩、こしょうの順に加え、粘りが出るまでよく混ぜる。玉ねぎ、れんこんを加えてさらに混ぜる。
3. 2.の生地を8～10等分し、丸く成形する。
4. 深鍋にサラダ油を熱し、3.を入れて両面にこんがりと焼き色をつける。
5. 4.に赤ワインを加えてアルコール分を飛ばす。デミグラスソース、スープ、ローリエを入れる。煮立ったらマッシュルーム、にんじんを加え、アクを取りながら弱火で約10～15分煮る。
6. 中濃ソース、トマトケチャップを加え、塩、こしょうで味を調える。最後にカリフラワーを加えて温める。

（『おいしくたべよう。――素材をいかすレシピ133』、44頁）

第4戦 夜の主菜

実食コメント

H・T…………

勝者 煮込みれんこんバーグ

理由 単純においしかった。ドミグラスがおいしかった。レンコンもシャキシャキして食感もよかった。一方の「食べるとロールキャベツ」は、どうしてもひき肉と分離してしまい「食べてもキャベツ」だった。ソース対決だとするなら、ちょっと勝負にならないくらい負けていると思う。ただロールキャベツ調理中の視覚的インパクトは強い。とくに片手鍋にぎゅうぎゅうの半玉キャベツ、そこへ缶ジュースを投入している画は面白い。これはむしろそういう演出効果を狙ってつくられたレシピなのか。食べるなられんこんバーグ、話題にするならロールキャベツだと思わせる対決だった。

K・S……………
勝者　煮込みれんこんバーグ
理由　「煮込みれんこんバーグ」は付け合わせの野菜の美味しさが際立ちました。れんこんバーグ自体は思った通りの味。ウスターソースの使用はちょっとずるいかなと。「食べるとロールキャベツ」も美味しかったですが、食卓に載った単品としてはれんこんバーグに軍配。食べるとロールキャベツは手間の少なさ、鍋ごと出したときの皆のワーッというインパクトまで考慮すれば作り手の満足感は高そうです。

M・I……………
勝者　煮込みれんこんバーグ
理由　「食べるとロールキャベツ」も、キャベツの甘みが生きていて想像以上に美味しかったが、今回はれんこんバーグに一票。ハンバーグに蓮根のしゃきしゃき感が秀逸すぎた。デミグラスソースで煮た付け合わせの野菜もさりげなくうまい。

T・K…………

勝者　煮込みれんこんバーグ

理由　れんこんバーグは思った通りに美味しい。驚きはないが、この味を安定して家で作れるのだから凄い。はるみの世界観がよくわかる。カツ代の「巻かない」ロールキャベツはこれ以上崩すと味がダメになるラインを超えたのではないか？　スープの旨味が足りない、キャベツに巻かれた肉汁のジューシーさが無いなど、ロールキャベツの良さが殺されていたように感じた。

A・K…………

勝者　煮込みれんこんバーグ

理由　「食べるとロールキャベツ」は、煮る時間がレシピの指定より若干少なくなってしまったこともあるかもしれないが、やはりロールキャベツは巻いた方が美味しいのではと感じてしまった。カツ代流アイディア料理の代表例としてよく取り上げられるレシピで、期待していただけに残念だが、下ごしらえや火入れが十分でなかった可能性が高い。れんこんバーグは、ソースは説得力のある美味しさだったが、レンコンの食感が少しハンバーグから浮いている印象。

結果　0―5で栗原はるみ「煮込みれんこんバーグ」

小林カツ代……2勝
栗原はるみ……2勝

第三章

なぜガーリックはにんにくではないのか？

いつだったかクズリが川で溺れているのを
助けたことがあってな
そりゃもうみんなホメてくれたよ
だけど次の日はひとりで
もそもそメシ喰ってたのさ
だから色が変わる岩を見つけたって同じだよ
そりゃみんな驚くだろう
だけどまたもそもそメシを喰うんだよ

そうかボクたちはバカだったのか
生きていくのに必要なのに
空を飛べないのも
生きていくのに必要なのに

自分が見ていない時のことを見れないことも
ボクたちがバカだからできないのか
食べても食べてもお腹がすくことや
歩くと必ず疲れるのも
きっとボクたちがバカだからなのだろう

だからよ
色が変わる石だのなんだのはもういいんだよ
オレたちはバカで
もそもそメシを喰うしかないのさ

［いがらしみきお『ぼのぼの』より［1］］

正しい料理

本書では、私たちの思考を暗黙裡に駆動する暮らしの変容を捉えるために、三つの時期に焦点をあてて、家庭料理をめぐる実践の軌跡を追跡している。

第一に、私たちが現在イメージする家庭料理の基本的な姿が形成され、ある意味でその近代化が完成した一九六〇~七〇年代、第二に、確立された定型的な家庭料理へのポストモダニズム的改変が試みられた一九八〇~九〇年代、第三に、ポストモダニズム的改変の常態化を前提として新たな展開が模索されていく二〇〇〇~二〇一〇年代である。

第一章で第二の時期を、第二章で第一の時期を扱うという変則的な手法をとっているため、本章ではまず、これまでの議論を時系列に沿って再構成しながら論点を浮き上がらせていきたい。

第二章で詳述したように、一九六〇~七〇年代における定型的な家庭料理の確立は、まずもって調理に関するあらゆる要素を標準化し商品化していく運動によって支えられている。スーパーにおける標準化された食材や調味料の販売、マスメディ

【1】いがらしみきお『ぼのぼの』第一〇巻（電子版、二〇一三年、竹書房）より、九一頁のアライグマくんの発言、九五頁のモノローグ、九三頁のアライグマくんの発言の順に抜粋した。

アを通じた料理研究家による多様なレシピの流通、調理家電や計量器具による調理過程の形式化などによって進められた家庭料理の標準化は、次々とブームを起こしたインスタント食品や冷凍食品に代表される食の簡易化を進めると同時に、標準化された媒体を前提にして自分なりの創意工夫を加える営みを「手作り」としてマークすることを可能にした。やろうと思えば全ての食事をインスタント食品でまかなえるという状況が生みだされたからこそ、スーパーで購入した食材を組み合わせて調理する行為がその手間の多さによって「手作り」として賞賛され、翻ってインスタント食品を多用するような相対的に手間のかからない行為が「手抜き」として非難されることになる。

標準化の進行は、食卓に供される料理の種類を大きく変えることにもなる。再び阿古真理の表現を借りれば、高度経済成長期に多く誕生した出身地の異なる夫婦からなる家庭では「自分の家で受け継がれてきたものだけでなく、相手の好みも取り入れ、新しい家族の味を築き上げていかなければならなかった」[2]。出身地域に縛られない「新しい家族の味」を築きあげること。それを支えたのは、流通網の整備や食材の輸入を通じて豊富な商品を常時揃えるに至ったスーパー

【2】阿古真理、二〇一三『昭和の洋食 平成のカフェ飯——家庭料理の80年』、五〇—五一頁。

の全国的普及だけでなく、新奇な食材や調味料を用いて目新しい料理を作り上げる方法を伝授する料理研究家たちでもあった。一九五〇～七〇年代にＮＨＫ「きょうの料理」などで活躍した江上トミ（一八九九～一九八〇年）や飯田深雪（一九〇三～二〇〇七年）は、いずれも地方の名家の出身であり、戦前期において例外的な海外経験を持つ。江上は陸軍造兵廠技術官の夫と渡仏してパリの料理学校ル・コルドン・ブルーに入学しているし、飯田は医師だった父に連れられて幼少期を平壌で過ごし、結婚後は夫の勤務先であるシカゴ、カルカッタ、ロンドンで各国の料理を学んでいる。

特権的な文化資本に裏打ちされた豊富な知識と技術をもつ彼女たちは、料理番組や新聞記事、テレビ番組や書籍を通じて全国の主婦たちに多彩な料理を「指南」していく。洋食や中華の目新しい料理であっても、料理研究家のレシピに従ってスーパーやデパートで食材を揃えれば調理可能であり、腕を磨けばより美味しい料理ができあがる。洋食や中華だけではない。各地に根ざした郷土色の濃い料理ではなく、地域に限定されない一般的なカテゴリーとしての「和食」もまた、五〇～六〇年代に料理番組の顔となった土井勝（一九二一～一九九五年）らのレシピを通じて一般に普及してきた。幼くして父を亡くし女手一つで四人の子供を育てた母の料理を模範とする土井の著作には、出身地域を問わず「和食の家庭料理」と言えば真っ先に思い浮かぶ料理の数々が掲載されている。

江上、飯田、土井といった昭和を代表する料理研究家の特徴は、その「正しさ」にある。彼女たちの書籍は、和洋中の様々な料理を網羅的に紹介する百科全書的な体裁を取り、読者にとって手の届く範囲で食材や調理法をアレンジする柔軟性を持つと同時に、著者の豊富な経験や知識に基づいてそれらの料理の正しいありかたや文化的背景を説明するものともなっている。その知見が真正性を帯びていたからこそ、彼女たちは人々に料理を「指南」できたのである。【3】

一九六〇~七〇年代に目指された「新しい家族の味」は、家庭料理を構成する諸要素の標準化を基盤としながら、一方の極に著名料理研究家を中心とする真正な家庭料理の確立、他方の極にインスタント食品に代表される食の徹底的な商品化が置かれる空間において把握される。後者との対比において前者に近い料理が「手作り」となり、前者との対比において後者に近い料理が「手抜き」となる。ある実践の領域において理念的目標が設定され、それを実現するための一般的な（原理的に

【3】様々なレシピを発表し続けなければならない料理研究家という職業には、料理の知識や経験において膨大なリソースが必要とされる。戦前においてそうしたリソースを蓄積できたのは、外交官や医師や商家といった都市の一部に限られていた。都市の一部に限定された食をより一般的なものとして提示するためにも、料理研究家たちの著作は真正性を帯びる必要があったと考えられる。

は誰でも利用できる）方法とその達成を評価する基準が確立されることを「近代化」と呼ぶのであれば、一九六〇～七〇年代において家庭料理は近代化されたと言えるだろう。

とはいえ、ネットや書籍を通じて国内外の膨大な料理情報に簡単にアクセスできる現代の私たちからみれば、彼女たちの料理の「正しさ」は疑わしいものにも見える。江上の料理本には、タマネギとトマトを炒めて水と白ワインで煮込み、焼いてほぐしたアジの干ものを加えてカレー粉で調味した「干もののカレー」のように、いくぶん奇妙な和洋折衷料理と感じられるレシピも少なくない。[4] 土井の料理本には、出身地（香川県生まれ大阪育ち）の慣習が反映された記述も散見される。だが、第二章で論じた「我が家の味」による「村の味」の上書きに見られるように、普遍的な価値と標準的な媒体の普及を通じて地域的多様性や過去の記憶が再編される過程もまた近代化の所産であり、「新しい家族の味」の追求は、その源泉として措定される国内外の伝統（料理）を創造する効果を伴っていたと考えられる。

【4】鈴木勤（編）、一九七四『江上トミの材料別おかずの手本 クッキング・ブックス2』、世界文化社、五五頁。

小林カツ代や栗原はるみが標的としたのは、まさにこうした、一九六〇～七〇年代に確立された「正しい」家庭料理のあり方だった。

仕事をもつ既婚女性層が拡大した八〇年代、高度経済成長期の専業主婦と比べて家事に専念する余裕のない「働く女性」を読者の範例としながらカツ代が提案したレシピの数々は、「手作り」と「手抜き」の二項対立から外れたところに「美味しい時短」という第三の領域を切り開いていく。「働く女性」にとっての問題は、手作りか手抜きかという二者択一ではなく、どうしたら時間がなくても美味しい料理を手軽に作ることができるかにある。そのように問題を再構成することで、カツ代は家庭料理に正しさを求める規範的な圧力を緩和していったのである。

従来の調理法を徹底的に疑い、食材や調理の相性を精査しながら大胆に定番料理を脱構築（解体・再構築）していく数々のレシピと、料理本やエッセイを通じてカツ代が発信し続けた「無理なく美味しい手作り料理が家庭生活の潤滑油になる」というメッセージは、家事に悩む多くの人々を助け、励ましてきた。

脱構築の末路

だが、「わが道をゆく！　わがままなワンタン」や「食べるとロールキャベツ」といった代表作が示すように、彼女のレシピの大半は、「主菜・副菜・ご飯・汁物」といった定型的な家庭料理の献立から逸脱するものではない。白米を中心に和洋中の美味しい一汁三菜を女性（妻／母）が心をこめて手作りすることが幸せな家庭を生みだすという、六〇〜七〇年代に確立された家庭料理の理念自体は温存されている。

これに対して、消費社会化が急速に進んだ九〇年代、働く既婚女性層の拡大のなかでそれでも専業主婦を選んだ人々、同時代の主婦向け雑誌の名称を借りれば「すてきな奥さん」のアイドルとして絶大な人気を博したのが、栗原はるみである。

馴染みのある食材と易しい調理法でレストランのような美味しい料理が作れるよう計算され尽くしたはるみのレシピは、定型的な家庭料理を解体・再構築して「お店の味」に近づける。生ハムやバジルをのせた「レンコンのピクルス」、焼きサンマと白米を土鍋で炊いてケチャップをたらした「サンマの洋風炊き込みごはん」。主菜・副菜・ご飯・汁物といった既存のカテゴリーから逸脱する自由を与える彼女の料理には、同時に、レンコンやケチャップといった馴染みぶかい素材が用いられている。定型的な家庭料理の外部に一歩踏みだしながら、常に片足はその内部に置かれており、読者はその時々で両足のバランスを調整できる。はるみの著作は、家庭とレストランのはざまに自由に行き来できる「ゆとりの空間」を生みだすことで、消費社会のなかで家庭生活を送る多くの人々を助け、励まし、魅了してきたのである。

しかしながら、ポストモダニズム的脱構築は、その標的となる規範的な体系が批判されながらも温存される限りにおいてしか成立しない。カツ代やはるみのアイディア料理は、一九六〇～七〇年代に確立された「正しい家庭料理」の規範的イメージがいまだ残る八〇～九〇年代だからこそ時代を代表する存在感を持ちえた。脱構築の加速度的進展は最終的にその標的自体を消滅させ、「正しい家庭料理」という統一的な全体を――批判の対象としてであっても――想定することは今や極めて難しくなっている。

二〇〇〇年代以降に活躍する料理研究家としては、カツ代の息子である小林ケンタロウ、はるみの息子である栗原心平、韓国料理を背景としながら多彩で使い勝手のよいレシピを生みだすコウケンテツ、『作ってあげたい彼ごはん』シリーズで知られるＳＨＩＯＲＩ、カツ代風のアイディア時短とはるみ風のインパクトを融合させた平野レミなど、多くの名前を挙げられるが、〇年代や一〇年代を代表する研究家という呼称に相応しい人物はいない。いずれも熱心なファンをもつ研究家であるが、家庭で作られる料理のありかたが多様化するにつれて、研究家個人のキャラクターに裏打ちされたレシピの集合体によって家庭料理なるものを総体的に提示することは困難になる。むしろ、二〇〇〇〜二〇一〇年代に存在感を増したのは、料理レシピの作り手（料理研究家）と家庭料理の作り手（レシピ本の読者）という区別を弱めることを通じて、生活と料理の関係性を再編していく新しい料理メディアであった。

以下では、読者が提案する料理レシピや暮らしのアイディアを中心に誌面を構成してきた主婦向け月刊情報誌『マート（Ｍａｒｔ）』（二〇〇四年創刊）、および、家庭料理の作り手が投稿した膨大なレシピを検索できるサイト／アプリとして二〇一〇年代後半には六〇〇〇万を超える月間ユーザー数[5]を獲得するに至ったレシピ投稿・検索サービス「クックパッド」（一九九八年サイト開設）について検討することで、ノンモダン期の家庭料理のあり方を探っていきたい。

【5】ブラウザベースまたは端末ベースによる集計。クックパッド株式会社公式サイト内「企業理念」ページ（https://info.cookpad.com/corporate/philosophy）の記載による。

欲求を知り、満たす

第二章で言及したように、岩村暢子は『変わる家族　変わる食卓』において、朝は起きないお母さん、お菓子を朝食にする家族、昼食をコンビニ弁当一つですます母子、家族がそれぞれ好きな物を買ってきて食べる夕食といった食卓のあり方を克明に描きだした。本書に登場する一九六〇年代以降生まれの主婦たちについて、彼女たちと同じ世代に属する阿古真理（一九六八年生まれ）は、次のような極めて辛辣な言葉を投げかけている。

彼女たちが料理に苦手意識を持っているのは、つくれないのではなく、自信がないからである。何しろ、気が向けばだしもとるし、豚の角煮やマカロニサラダもつくる。さまざまな食材を使ってアレンジする能力もある。基礎がないと思えば料理本を買うなどして調べればよいのに、努力することを放棄している。食べたい味や、食べさせたい料理も、うまくなりたい、という欲求もない。［……］献立を立てて料理するということは、何を食べたいか、食べさせたいかという欲求に能動的になることから始まる。心から美味しいと思って食べ、家族が喜ぶ顔を見る。欲求を満たせば幸せな気分になるはずだ。彼女たちは自分の欲求も、家族の欲求も知ろうともしていない。情報に振り回され、家事や子育てをわずらわしそうに語る彼女たちは、幸せそうには見えない。[6]

【6】阿古、前掲書（二〇一三）、一七八―一七九頁。

阿古の記述は、「食DRIVE®調査」の対象者と『マート』の中心的な読者である七〇年代生まれの主婦を重ねあわせるように進んでいく。料理に自信を持たず、かといって努力することも放棄している「彼女たち」は、基本を知る前に雑誌でアレンジ料理を覚え、好みに合わせて調味することすらしなくなり、ダシの素や麺つゆや焼き肉のタレといった市販の味に慣れて「自分の味が分からなくなる」。自分の基準を持たないために、「食べ慣れた味ではなく、時流にのった未知の味に自分をあわせようとしている」。[7]

【7】同書、一八〇―一八一頁。

その典型的な例とされるのが、桃屋の「辛そうで辛くない少し辛いラー油」に端を発し、二〇一〇年に品切れ続出となった「食べるラー油」のブームであり、その火付け役となった、「もっと生活遊んじゃおう！」をキャッチフレーズとする雑誌『マート』の読者である。

アメリカ生まれの会員制スーパー「コストコ」やショッピングモール等に出店する輸入食材店「カルディコーヒーファーム」に赴き、珍しい調味料や食材を購入して目先の変わった味を楽しむ『マート』読者の家庭料理を、阿古は「ままごと遊び」と断じる。さらに、「彼女たちは、六〇年代に生まれたお姉さん世代のように料理することを義務と考えず、できない自分を肯定している。親も自分らしく生きることを尊重してくれる。誰も文句を言わないうえ、雑誌が肯定してくれるのである。家事だの子育てだの、面倒なことは遊びに変えちゃえ……しかし本当にそれでいいのだろうか」と問いかける。[8]

阿古の問いかけは、ポストモダンな家庭料理とノンモダンな家庭料理のあいだに生じる齟齬の一端を示すものである。彼女は、まずもって家庭料理を「欲求を知り、満たす」行為として捉えている。ただし、この定義自体は、家族が食べたいものをそれぞれ買ってきて個々に食べる「食ＤＲＩＶＥ®調査」対象者の食卓にも、自分が美味しいと感じる未知の調味料を探索し続ける『マート』読者にも当てはまる。

【8】同書、一八五頁。

だが阿古は、こうした個人主義的で記号消費的な料理観に、異なる好みをすりあわせながら「我が家の味」を築き上げていくという六〇〜七〇年代の（＝彼女の母親世代の）家庭料理観を忍びこませる。「食べるラー油」などの単体で料理の味を決めてくれる合わせ調味料を使うことは自分の「欲求を知り、満たす」ことではなく、「自分の味が分からなくなる」ことだとされる。その背景には、基本的な調味料を自分や家族の好みにあわせて調合することで「我が家の味」を築いていった母親世代の姿がある。

メーカーが加工した調味料で料理に味付けする再加工作業の材料であるという点では、「食べるラー油」も「さしすせそ（砂糖・塩・酢・醤油・味噌）」も変わらない。だが、後者とちがって前者では、味のすりあわせを通じて欲求の追求を「我が家の味」という共同性の構築（＝人々がモノや意味や関係性を共有していくこと）につなげていく回路が絶たれているように見える。だからこそ、阿古は『マート』読者を否定的に描きだすのである。

共同性の構築を欲求の追求の帰結として捉え直すことで共同性の規範的圧力を緩和しようとする阿古の身振りは、時間がなくても「我が家の味」を作りだせる方法論を提示したカツ代や、「お店の味」を部分的に導入して「我が家の味」を拡張する方法論を提示したはるみの試みの延長線上にある。だが、欲求の追求を第一に置くという点では、阿古は「食ＤＲＩＶＥⓇ調査」の対象者や『マート』読者と同じ志向を持っている。

阿古真理は、バブル初期の一九八七年に大学生になり卒業後は大阪の広告会社に就職した二〇代前半の時期に、ティラミスやナチュラルチーズやスパゲッティではない「パスタ」に出会い、新奇で多様な料理を日々味わうこと（＝「生活を遊ぶこと」）に馴染んでいる。大学時代に会社員メインのテニスサークルに入り、普段はファミレスや「王将」に集まり、時には遠出して大阪ミナミのモツ鍋、京都の湯豆腐、丹波篠山のボタン鍋を皆でつつく「毎日がお祭り」のような青春時代を過ごしたと彼女は言う[9]。

しかしながら、多様な欲求の探索と追求を重視すると同時に、料理を義務と考える「六〇年代に生まれたお姉さん世代」の一員でもある阿古は、欲求の追求が共同性の構築につながらないようにみえる道筋を否定せざるをえない。だからこそ、「何を食べたいか」という個人的な欲求だけでなく、強制と紙一重の「何を食べさ

【9】阿古真理、二〇〇九『うちのご飯の60年──祖母・母・娘の食卓』、筑摩書房、一九三─二〇〇頁。

せたいか」という欲求がカウントされる。

もちろん、「何を食べたいかという家族の欲求を知り、何を食べさせたいかという自己の欲求とすりあわせることで、家族が喜び、みんなが幸せになる」という道筋は残されている。

しかし、そうしたすりあわせが常に上手くいくとは限らない。むしろ「食べるラー油」のような味付けがプリセットされた合わせ調味料を次々と試すことが、個々人の多様な欲求をすりあわせる上でより実効的であるかもしれない。そして、「食べるラー油」ブームを引き起こした『マート』読者の旺盛な消費活動は、まさに市販品の探索を通じて「我が家の味」とは異なる共同性を構築する方法論として捉えることができる。そこで重要なのは、『マート』に掲載されるレシピの多くが——プロの料理研究家によるものであれ、読者の提案によるものであれ——主婦個人ではなく、「ママ友」というグループと結びつけて提示されることである。

にんにくではダメなんです

『マート』編集長の大給近憲は、著書『「主婦の気分」マーケティング』において、読者が桃屋の「辛そうで辛くない少し辛いラー油」を高く支持した理由について次のように考察している。

大給によれば、この商品を評価した読者の大半はその後に「もっと違うラー油を」とは言わなかった。あのとき、消費者はラー油を求めていたわけでなく、むしろ桃屋が優れた技術によって生みだしたフライドガーリックに反応したのではないか、と彼は推測する。

例えば、読者がコストコで購入した調味料ランキングに必ず入る「ジョニーズガーリックシーズニング」はガーリック、パルメザンチーズ、塩、ハーブの入った万能調味料であり、ガーリックトーストを簡単に作れるだけでなく、炒め物やドレッシングに混ぜてコクを出すこともできる。長く支持されている「クレイジーソルト」もまた、岩塩にガーリックやスパイスや香草を加えたシーズニングソルトである。いずれもひと振りするだけで普通の料理が「おもてなしの一品」になる、なくてはならない調味料だと読者は言う。つまり、桃屋の製品は「新しいラー油」としてではなく「新しいガーリック調味料」の一つとして読者の人気を集めたのではないか。その傍証として大給が示すのは、ある新商品展示会でガーリックフレーバーのオイルが人気を集めた際に、彼が読者と交わした次のような会話である。


「どうしてこれがいいのかな」

「ガーリックだから使えるんです」

「そうなんだ、ほかにもにんにくの商品があるけれど」

「にんにくではダメなんです」

「どうして」

「だって、ちょっと臭い感じだから」

「……」

「じゃあ、ガーリックフレーバーなら大丈夫なの?」

「ガーリックトーストとかが美味しく作れそう」

「どうしてガーリックだと使えるのかな」

「だってお店みたいな味になるじゃないですか」【10】

「ガーリック」と「にんにく」が同じ事物に対する異なる名称であると考える限り、この読者の発言は不可解である。しかしながら、言語を、事物の名前のリスト（名称目録）や世界を分節化する差異の体系（ラング）として捉えず、モノのネットワークに加わるそれ自体もモノの関係性であるものとして捉えれば【11】、上の会話において「ガーリック」と「にんにく」という名詞と結びつけられているものが、別種の関係性を可能にするものとして働いていることがわかる。

「ガーリック」という言葉は、その名称に馴染む調味料が、ガーリックトーストやガーリックライスというお洒落なカフェやレストランで供される料理と結びつくことを示唆する働きを持つ一方で、「にんにく」という言葉は、その名称に馴染む調味料が、レバニラ定食や「すた丼」や「ラーメン二郎」のような「ちょっと臭い」料理と結びつくことを示唆する働きを持つ。

「辛そうで辛くない少し辛いラー油」がフライドガーリック技術を取り入れながら「ガーリック」という言葉を製品名に含まないことが示すように、『マート』読

【10】大給近憲、二〇一四『「主婦の気分」マーケティング』、商業界、一五四頁。

【11】久保明教、二〇一九『ブルーノ・ラトゥールの取説――アクターネットワーク論から存在様態探求へ』、月曜社、一四一―一四四頁。

者は単に「ガーリック」という言葉の響きに惹かれているわけではない。むしろ、彼女たちは、「ガーリック」という言葉が馴染むような調味料が接続しうるネットワークのあり方を鋭敏に捉え、そこに自らの身体を結びつけることを好んでいると考えられる。そうしたネットワークを構成するのは、「ガーリック○○」を供する洒落たカフェやレストランやホームパーティであり、そこで素敵な時間を過ごす自分と「ママ友」たちに他ならない。

前述したように、『マート』の誌面は、読者が提案する料理レシピや暮らしのアイディアを中心に構成されている。だが、その外観は「読者投稿」や「暮らしのアイディア」という表現から想起されるものとは大きく異なっている。その主な特徴は以下の三点であり、いずれも、栗原はるみの書籍のスタイルを拡張するものとなっている。

第一に、誌面に登場する読者は、キッチンやリビングにいたとしても女性誌の読者モデルのようにカジュアルに着飾っており、彼女たちが自分なりに生活を楽しんでいる様子を伝える写真付きで紹介される。誌面に登場した読者たちは「インスタグラム」などのＳＮＳに誌面の画像や自撮り写真を投稿し、多くのコメントが寄せられる。栗原はるみの書籍が、料理や食器だけでなく暮らしを楽しむはるみ自身のグラビアを掲載することで「主婦のアイドル＝栗原はるみ」を誕生させたとすれば、『マート』は、読者の誰もが個性的な「主婦のアイドル」に一時的になりうる場を提供している。ただし、誌面には「主婦」という言葉はほとんど現れない。創刊初期には「独身系ファッション」のような「独身系〇〇」というキャッチフレーズ、未婚のように見られることをよしとする表現が頻発する。

第二に、読者が提案する料理レシピや暮らしのアイディアの大半が、市場に出まわる膨大な商品の中から読者が発見したお気に入りの品を勧める形をとっている。誌面には、ル・クルーゼの鍋のような高価なブランド品から一〇〇円ショップの便利グッズに至るまで、きちんと商品名とメーカーが記載される。はるみの料理本や季刊誌『栗原はるみ haru_mi』では、料理の傍らに食器や調理器具や雑貨が配置され、それらが隠れた実力派メーカーの逸品や「ゆとりの空間」の自社製品であることがさりげなくアピールされる。それをさらに進める仕方で、『マート』は、生活のあらゆる場面を、雑貨店やセレクトショップのような商品の探索と購入と使用がシームレスにつながった空間として描きだす。

さらに、単に商品を勧めるだけでなく、読者が自分たちなりの使い方を提案することも多い。大給は、『マート』読者から多大な支持を集めた柔軟剤「ダウニーエイプリルフレッシュ」に魅了された読者の一人が、「ダウニー」を薄めたもので玄関の床を拭き、来客を迎える際の香りとして用いていたという例を挙げる。このエピソードは大給を介して販売元であるP＆Gの日本法人に伝わり、同社が販売する洗剤「ボールド」や消臭剤「ファブリーズ」にダウニーの香りが活かされることになった。柔軟剤やホームベーカリーやシリコンカップなど、様々な商品をメーカーの想定を外れた仕方で使い、その使い方をブログやSNSで共有していく読者の営みを、大給は生活用品市場における「二次創作」の台頭として捉えている。[12]

第三に、読者が登場する誌面の多くにおいて読者は「ママ友」たちと一緒に現れる。彼女たちは「○○さんのママ友グループ」と呼ばれ、普段の交流のありかた、グループ内で最近注目されている商品、商品に関する意見交換の様子などが描かれる。はるみの料理本でも、夫である元キャスター栗原玲児や長男の料理研究家・栗原心平とその妻などが集って美味しい料理を皆で作り食べる「栗原家の楽しい生活」を描く文章や写真がしばしば挿入されるが、『マート』では、読者の誰も

【12】大給、前掲書、一八三―一八四頁。

が「〇〇さんとママ友たちの楽しい生活」を展開できる可能性が開かれている。ただし、実名表記で登場するのは主に読者とママ友たちであり、子供や夫が登場することは稀である。

以上で挙げた特徴は、互いにどのように関係づけられるだろうか、具体的な記事を取り上げて検討しよう。二〇一七年一月号の記事「つくるのに困ったときはママ友の口コミがいちばん信頼できる――『レシピ交換会』が強い味方です」では、東京都在住の三〇代中盤の女性三人が次のように紹介されていく（読者の名前はイニシャルに変更した）。

最近、「サルベージパーティ」がMart読者の間に浸透してきています。これは持て余している調味料や食材を持ち寄って新しい料理に生まれ変わらせ、楽しみながら食の大切さに気づいていく新しい食の形。Tさんのママ友グループではそんなエコなパーティを、TNさんの「こんなおもしろいものがあるけどやってみない？」の一言から開催。「行き場のない調味料で、高級料理風のものが作れて盛り上がったんです」（Tさん）。

また「作ったことのない料理を教えてもらい、家でもつくるように」（Hさん）、「使ってみたかったパイシートの使い道をマスターしました」（TNさん）と、うれしい発見も。ワイワイ楽しみつつ、キッチンの残りものにサヨナラできるし、レパートリーも広がって家族も大歓迎。そんなハッピーな会をTさんのお宅で実践。アイデアをマスターして、自宅での成果も披露してもらいました。【13】

「サルベージ」の対象となったのはユウキ食品の「怪味《ガイウエイ》ソース」である。Tさんは「『これは珍しい！』と飛びついて買ってみたんですが、特徴ある濃いめの味はザ・中華！ 中華だと作れるものも限られるし、うまく使いこなせずキッチンに冬眠中」だと言う。

これに対してTNさんは、「こういったソースってお肉に合わせたくなるけれども、しっかりめの味はさっぱり野菜にあわせるとうまく中和していけるんじゃないかな」とコメントして、炒めた青梗菜と合挽肉に水切りした豆腐を加えたものに怪味ソース、パン粉、チーズをかけてトースターで焼いた「中華風グラタン」を提案

【13】『Ｍart（マート）』、二〇一七年一月号、光文社、九六頁。

する。

もう一人のHさんは、「とろみのあるソースは淡泊なゆで卵にかけたら合わないかな?」とコメントして、茹でてつぶした卵とじゃがいもにハムとタマネギをまぜ、マヨネーズと怪味ソースで味付けした「怪味ソースポテトサラダ」を提案している。

この記事から読みとれるのは、読者各人が持つ個性の重視(特徴1)と「ママ友グループ」という共同性(特徴3)が、商品の探索・購入・二次創作(特徴2)によって媒介されるという構図である。「サルベージ」によって生みだされた二つの料理はきちんとレシピにまとめられ写真付きで掲載されているが、その味わいについては二行ほどの説明に留まるし、怪味ソースというプリセット合わせ調味料の新奇性を除けば、いずれもよくあるアレンジ家庭料理にしか見えない。

一方、上で抜粋したママ友のコメントには、小さな文字で十数行に及ぶスペースが取られており、その傍らには、三人が話しあいながら楽しそうに試行錯誤する写真が添えられる。強調されるのは、完成した料理の美味しさやレシピの独自性よりもそこに至るプロセスであり、商品の使い方を各人が自分なりに考え、活発な討議を通じて何かをデザインしていく姿である。商品の探索と活用という契機において個々人が自らの欲求を知り／満たし、その過程に伴う情報交換や協働を通じてママ友たちとつながっていく。土井勝と松山善三が語りあった「おふくろの味」は表面上完全に失われている。ただし、できあがる料理は「ママ＝おふくろ」の手が一手加わったものであることには変わりはない。ここに示されているのは、「我が家の味」という回路を経ることなしに、欲求の追求を共同性の構築へとつなげていく道筋である。

『マート』における料理のあり方は、栗原はるみにおけるそれをさらに拡張したものとして捉えることができる。「お店の味」と「我が家の味」の狭間を行くはるみのレシピに対して、『マート』のレシピは市販の調味料を主役に据え、あるいは特定の人気店の味をそのまま家庭で再現することを試みる。例えば、「主婦のおもちゃ」とも呼ばれるホームベーカリーのムック本を『マート』編集部が企画したとき、読者たちが求めたのはメーカーが主に想定していた「美味しい自家製パン」の作り方ではなく、「PAUL」、「メゾンカイザー」、「ポール・ボキューズ」、「クリスピー・クリーム・ドーナッツ」といった有名店の人気商品をホームベーカリーでそのまま再現できるようなレシピ本であった。【14】

【14】大給、前掲書、一一七―一二〇頁。なお、このレシピ本は「Martホームベーカリー BOOK」VOL1―3（光文社）として出版されている。

さらに、はるみのレシピが、バゲットにも合う味付けの「さばの味噌煮」や、生ハムやバジルをのせた「レンコンのピクルス」のように、近所のスーパーで買える範囲で異国風のニュアンスを導入するのに対して、『マート』読者は、「ジョニーズガーリックシーズニング」や「ダウニー　エイプリルフレッシュ」といった輸入商品を「カルディコーヒーファーム」や「コストコ」で購入するという、より直接的な手段によって異国の要素を導入する。会員制スーパー「コストコ」は、一人ではとても使いきれない大型食材を巨大なカートを押しながら探索するという日本のスーパーでは味わえないアメリカ流の消費空間であり、ママ友と一緒に出掛け、食材や情報を「シェア」して楽しむ、テーマパークのような場所として読者に親しまれている。

『マート』は、創刊初期からしばしばハワイを取りあげ、ハワイでショッピングを楽しむ特集を組んだり、現地の人気レストランのメニューを輸入食材とホットプレートがあれば再現できるレシピを集めた『ハワイフードＢＯＯＫ』を刊行してもいる。そこにおいてハワイは、あたかも『マート』読者の主な居住地である都市郊外のニュータウンに隣接する日常的な空間であるかのように描かれる。約一世紀前、江上トミや飯田深雪が特権的な階級に属していたからこそ到達しえた「海外」はそこにはない。『マート』読者における「ゆとりの空間」とは、日本人観光客でごったがえす冬休みのハワイのような飼いならされた異郷であり、近所のスーパーとは異なるコストコでの買い物、輸入商品の探索や二次創作を通じて生みだされる「旅するような暮らし」なのである。

一方、はるみとの最大の違いは、お店と家庭、国内と海外のはざまに生みだされた空間を占拠するのが、栗原はるみという一人の「カリスマ主婦」ではないことにある。

大給によれば、ママ友たちのコミュニティでは一人だけ先を行くような感度を自慢しても共感はえられず、「周りに浮かないバランス感覚を持ちつつ、ちょっとだけ新しい感性のある」人に共感が集まる。そこで重視されるのは、商品の情報を共有し、共感しあうだけでなく、「自分流の解釈をそれぞれが持ち始め、お互いに刺激しあい、1つのものから、いろいろな価値観が生まれてくる」プロセスである。[15]『マート』読者は、はるみが切り開いた「ゆとりの空間」を、それが片足を置いていた「我が家の味」の圏域から切り離すことで、絶対的な中心をもたないネット

【15】同書、八四、八六頁。

ワーク状の協働（消費―創作）空間へと拡張していったのである。

とはいえ、以上で検討してきた『マート』における家庭料理のあり方、新奇なプリセット合わせ調味料の探索や二次創作の協働を介して欲求の追求と共同性の構築を接続していく営為が、阿古による批判にどこまで応えうるものであるかは不明瞭である。誰もが瞬間的なアイドルになれる可能性を持つと同時に「周りに浮かないバランス感覚」が常に要求されるママ友コミュニティのあり方は、周りになじめなければ個人を抑圧するものとなりうるし、そもそも子供のいる「ママ」であり、時間的かつ経済的な余裕があるという条件をクリアしていなければ参入できない。「マート読者」と一括りに語ってきたが、誌面で魅力的に描かれる読者たちのライフスタイルが（他の）読者の実生活と乖離していることは十分に考えられる。

だが、そのライフスタイルは単なる「ままごと遊び」ではない。大給は、ハンドソープの共同開発に際して行われたグループインタビューにおける以下のような読者の発言を取りあげる。「私たち主婦は生活にまみれているんです。ときどき、とっても所帯じみていると思うことがあります」、「そういう中でも、一番所帯じみているって実感してしまうのは、どんなときかわかりますか？」、「例えば、柔軟剤をキャップに注ぐ何秒間、ハンドソープのボタンを押す何秒間です。これから家事にとりかかろうとするきっかけになることをするとき、とっても所帯じみた気持ちになります」。こうした読者の声をうけ、「ポンプをプッシュして気分が上がるとすれば、白ではなく、ブラウンでもなく、ピンクしかない」という判断から、ポンプ部分だけでなく本体もピンク色のハンドソープ「ウルルア」が商品化されたという。[16]

『マート』の誌面では、お洒落なモノトーンのラベルがデザインされた「生活感がでない」調味料入れ、「『料理』したくない日もかわいい」調理器具、「しまえないものの生活感を『プチリメーク』で楽しくごまかす」ための布製品などが紹介される。読者たちのライフスタイルは実生活から乖離した幻想ではなく、絶えざる商品探索と創意工夫によって生活感を減らし、所帯じみた気分を解除し、生活にまみれた主婦であることを否定する努力によってかろうじて生みだされる、切実な「ままごと遊び」なのである。「家事だの子育てだの、面倒なことは遊びに変えちゃえ……しかし本当にそれでいいのだろうか」という阿古の問いかけには、「そうでもしないと、生活なんてやってられないでしょう?」という切迫した実感のこもった反撃を対置させることができるだろう。

【16】同書、一二八―一二九頁。

「我が家の味」のデータベース

栗原はるみが切り開いた「ゆとりの空間」を旺盛な商品探索とママ友コミュニティによって拡張し、「我が家の味」の圏域から離脱していった『マート』に対して、小林カツ代が切り開いた「美味しい時短」の可能性をレシピのデジタルデータ化とランキングシステムによって拡張し、「我が家の味」のデータベース化を進めていったのが「クックパッド」である。

インターネット上の料理レシピ投稿・検索サイトとして出発し、フィーチャーフォン（ガラケー）用サイトやスマホ用アプリへと展開してきたクックパッドは、時期やプラットフォームに応じて様々な仕様の変更が施されているものの、ユーザーが投稿したレシピをデータベース化し、キーワード検索に対してレシピを提示するという基本的なシステムは変わっていない。月に数百円を払ってプレミアムサービスを利用すると、検索したレシピを人気順で閲覧できるようになり、大量のレシピをフォルダに保存したり、複数のレシピを組み合わせた献立の提案や専門家が選んだレシピを見るといった全ての機能が利用可能となる。

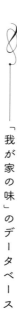

初期のクックパッドは、料理をしてレシピ化した記事を書く人々がお互いに記事を訪問しあうコミュニティサイトという色彩が強く、新しい記事が投稿されると「参考にして作ってみました。美味しかったです！」、「ありがとう、そのアレンジも美味しそうですね」といったコメントの応酬がなされ、料理以外の話題も交えながらユーザー同士の関係が育まれていく、同時期の「はてなブログ」のようなブログサービスの形を取っていた。

それまでは料理研究家などの専門家が提供していたレシピの受け手であった人々が、自らの料理をレシピとして掲載し、互いにその読者となってレシピに基づく調理を通じて交流する。家庭料理の作り手がレシピの作り手になるというクックパッドの基本的特徴は、それまでは作家やマスメディアが提供する文章の読者であった人々が自ら文章を書き、記事単位のコメント欄やリンクを介して相互につながっていく、二〇〇〇年代前半に台頭したブログサービスの形態を家庭料理という領域において展開することで生まれたものである。

ただし、ユーザーが自分のページに作った料理に関連する記事を掲載し、それを他のユーザーが閲覧しコメントするというブログ形式のコンテンツは、その後のクックパッドでは各ユーザーの個人ページの中にある「ごはん日記」や「クックパッドブログ」といった、比較的目立たない場所に移動していく。

利用者が増加するにつれて人気のユーザーページには反応しきれないほど多くのコメントが寄せられるようになり、コメント欄でのやりとりではなくレシピ単位で感想を寄せる「つくれぽ」の機能が追加された。「つくれぽ」には、そのレシピを参考にして作った料理の写真とコメントが記載され、多くの場合、レシピ作成者からお礼のコメントが返される。

例えば、二〇一七年一月一二日のデイリーアクセス数ランキング一位「簡単節約☆鶏胸肉の焦げない塩唐揚げ」には一〇一件の「つくれぽ」が寄せられている。このレシピは、「鳥がらスープの素、砂糖、醤油、ニンニク、酒、しょうが、ごま油」を混ぜたものをそぎ切りにした鶏胸肉と一緒にビニール袋に入れてもみこんでおき、片栗粉を入れた別のビニール袋に鶏肉を入れて全体に粉をまぶした後、おおさじ一のサラダ油をひいたフライパンに下ごしらえをした鶏肉を入れ、途中おおさじ二分の一のごま油を足して、六分程度で仕上げるものである。

「塩唐揚げ」でありながら、炒めものと同程度の油しか使わず、ビニール袋で下味をつけるためにキッチンが汚れないこと、塩を使わず鶏がらスープで塩味をつける「ヘルシー」と感じられる工夫があり、調理時間も短いこと、鶏もも肉よりも安い鶏胸肉を使っていること、レシピ説明文にあるように「冷めても美味しいのでお弁当にもオススメ」できるといった特徴は、クックパッドの人気レシピの多くに共通するポイントである。

このレシピに対する「つくれぽ」の多くは、「揚げないのでヘルシーでいいね」、「揚げないから楽チンだけど味はしっかり塩から揚げ!」、「コンロ周りも汚れなくてリピ決定です」、「洗い物油が少しで嬉しい」、「おかず・おつまみ・お弁当にしょっちゅうリピしてます」といった、レシピの「売り」を評価するコメントとなっている(「リピ」とはそのレシピを再び使って料理すること)。また、「旦那も絶賛!」、「二歳の娘がぱくついていました」といった家族の反応を含むコメント、「ささみに変えて作りました」、「チーズをぱらぱらのせてみました」、「米粉でやってみました」といったアレンジを含むコメントも少なくない。これらのコメントの全てに対して、レシピ投稿者は数行ではあるがきちんと内容に即したお礼コメントを返しており、「焦げてしまいました」というレシピ名称と矛盾する「つくれぽ」

が寄せられると、レシピの調理工程をより詳細に書き直すことで対応してもいる。

ブログ形式のやりとりに比べて、「つくれぽ」は数行程度のコメントの応酬となるため、レシピの良い点、調理の難点、家族の反応、利用シーン、アレンジの選肢などが明確になり、レシピ制作の技術が洗練されやすい。本レシピの「コツ・ポイント」欄では「直径二〇センチのフライパンで二五〇グラムの胸肉がぴったりの量でした。増量する場合は二回にわけるか、大きめのフライパンで焼いて下さい。工程四で片栗粉を付ける時は必ず新しいビニール袋で行って下さい。そのままの袋に片栗粉を入れるとべたつきます」という、作り手の立場に寄りそった丁寧な指示がなされている。

このように、クックパッドの人気レシピは、前述した『マート』の「サルベージ」レシピとは比較にならないほどの完成度を持っている。調理時間が短く、安く、ヘルシーで台所も汚れないという作り手にとって嬉しいアイディアに溢れたレシピの構成、レシピ作成者と作り手の心温まるやり取りは、小林カツ代の料理本を彷彿とさせる特徴である。

だが、それ以上に、これらの特徴が「唐揚げ」という定番の家庭料理を「揚げない」という仕方で実現されていることが重要である。そもそもフライパンに具材を敷き詰めることで少ない油で揚げ物ができるというのはカツ代が繰り返し提案したアイディアであり、上記のレシピはそのアイディアを「油大さじ1・5」にまで推し進めるものとなっている。「つくれぽ」の中には、「唐揚げのようにおいしかった」という、この料理が唐揚げではないという判断を暗に含むコメントもあるが、大半のコメントにおいて本レシピは単に「美味しい唐揚げ」として受け入れられている。炒めものとほぼ同量の油で「揚げ物」ができることを示す、こうしたレシピが広まれば、「唐揚げ」という料理の意味さえ変わっていく可能性がある。

他の例を見てみよう。検索ワード「ホワイトソース」ランキング一位を長いあいだ保持し、四七〇〇を超える「つくれぽ」数を誇る人気レシピ「グラタン&ドリアに☆簡単ホワイトソース」は、小麦粉、バター、牛乳、固形コンソメを深めのフライパンに全て入れ、火にかけながら泡立て器（小量の時はフォーク）で混ぜ続け、トロミがついたら塩こしょうをふるだけで完成する「究極手抜きレシピ」（説明文より）である。

ホワイトソースは洋食の基本とされるが、その「正しい」作り方はなかなかに煩雑である。例えば食育の普及と実践を掲げるＨＡＴＴＯＲＩ食育クラブが運営するサイト「食育通信online」では、ホワイトソースの基本的な作り方として、以下のような工程を紹介している。まずバターを焦げないように中火で溶かし、バターが一〇〇度の時に小麦粉を加え、温度を一一〇～一三〇度に保ちながらダマにならないように木べらでかき混ぜ、牛乳を少しずつ加えていき、小麦粉が牛乳のなかに分散した状態になったら残りの牛乳を加えてしっかり沸騰させて完成する。

レストランの洋食に用いるソースであれば、「食育通信」レシピの方がより良質なものになるだろう。だが、こうした「基本」、「正統」とされる調理法の普及が、多くの家庭料理の作り手にホワイトソース作りを敬遠させる要因となってきたことも否めない。

これに対して、クックパッドの「簡単ホワイトソース」は、「このレシピの生い立ち」欄に記載された、「時間がなくてもすぐ出来るので少し残ったごはんにベーコン&ケチャップを混ぜ、ソースをかけて簡単ドリアにしたり、小量作ってグラタントーストやお弁当に、少し牛乳を多くしてオムライスのソースにしたりしちゃってます」という投稿者のコメントが示すように、大量のホワイトソースを利用するレストランとは異なる家庭料理の文脈において圧倒的な利便性と汎用性をもつレシピとなっている（筆者も繰り返しお世話になっている）。日本料理における出汁の取り方や、西洋料理研究家たちが広めた各種ソースの作り方など、「正しい」とされてきた料理法を疑い、再構築していったカツ代の方法論を、クックパッドユーザーたちはさらに推し進めてきたのである。

だが、クックパッドには、カツ代の著作とは明らかに異なる特徴もある。それは、個々のレシピの信頼性が、「小林カツ代」という一人の料理研究家の実力や知名度によってではなく、ランキングの上位にあるという事実によって保証されることである。二〇〇〇年代後半にドコモの「ｉモード」などのキャリア公式サイトに登録されることで飛躍的に会員数を伸ばしたクックパッドは、レシピを通じて作り手たちが交流するコミュニティサイトから、膨大な料理レシピを検索できるデータベースサイトへと変容していった。毎日の料理を考える際にレシピを検索するユーザーにとって、レシピがランキング上位に位置していることは、多くの家庭で支持されているという保証を与える。グーグルで検索する時ほとんどのユーザーが検索結果の三、四ページ目を見ることがないように、検索結果の前面に表示されるという事実が、情報の正当性を示しているように感覚される。食材の組み合わせや調理方法の妥当性が、料理研究家の体現する文化的な真正性ではなく、集合的な評価によって保証されるところにクックパッドの特徴がある。

ランキングシステムの効用は、集合的な正当性の保証だけではない。そこには、特定の料理や食材の調理法において、いかなる有効なバリエーションがありうるかをリスト化するという効果もある。例えば、「カレーライス」をキーワードにして検索すると、一位から順に次のようなレシピが並ぶ。「簡単♪普通のカレーライス☆隠し味は…」、「絶品☆お店に負けないチキンカレー」、「市販ルゥに隠し味で美味♡簡単カレーライス」、「ルーと牛乳で簡単本格バターチキンカレー」、「大根と豚バラ肉のカレーライス」、「激ウマ！簡単に出来るドライカレー」、「ダシが決め手！大根の和風カレー」、「ささっと簡単！野菜たっぷりドライカレー」、「我が家のキーマカレー〈ひき肉カレー〉♡」、「野菜がたっぷり！ドライカレー」、「ナスたっぷり♫野菜と挽肉のカレー」、「カレー粉で作る基本のカレーライス」、「簡単濃厚グリーンカレー（タイカレー）」。

ユーザーは、ランキングを上から下にスライドさせながら、どんなカレーを作るか検討することができる。最初はスーパーでルゥを買おうと思っていても「そういえばカレー粉が余ってるから使おうか」となるかもしれないし、「この間ファミレスで食べたバターチキンカレー、息子に好評だったな、作ってみよう」とか、「大根が残ってるし、一緒に入れちゃおう」、「野菜たっぷりドライカレー美味しそう、でも今日は時間がないから『ささっと簡単!』なこっちかな」といったように、ランキングを見ながらその時々の状況や欲求にあったレシピを選択できる。こうした検索と選択のプロセスは、阿古が言うように「情報に振り回され」る人々を生みだしているようにも見えるだろう。だが同時にそれは、人々がデータベースとランキングシステムによって支援されながら時間や余裕がなくても「何を食べたいか、食べさせたいかという欲求に能動的になる」ことを可能にしてもいる。

クックパッドのレシピ名称に「カレーライス」や「肉じゃが」や「青椒肉絲」といった一般的な料理名だけが記載されることはほとんどない。とりわけランキング上位の人気レシピには、「簡単節約」、「焦げない」、「野菜たっぷり」、「簡単本格」、「お店に負けない」といったレシピの売りとなるポイントが明確に伝わるような語句が付記されている。それらの語句は、動画投稿サイト「ニコニコ動画」の動画に付記される「タグ」やツイッターのプロフィールに「／」を挟んで列挙される事柄のように、コンテンツの特徴やそれが受容される文脈を伝え、家庭料理の作り手たちの多様で移ろいやすい状況や欲求のどの部分に訴えるものであるかを明示する役割を果たしている。

読者の置かれた状況に即したアイディア料理を提示するカツ代のレシピ本であっても、これほど多様な欲求に瞬時に応えるのは難しいだろう。一人の料理研究家のレシピ本に、「ダシが決め手！大根の和風カレー」と「ルーと牛乳で簡単本格バターチキンカレー」が同時に掲載されることは考えにくい。多分に異なる欲求を充足するように最適化されたこれらのレシピを並置してしまうと、調理方法の妥当性を保証する研究家の人格的同一性が維持し難くなるからだ。

カツ代が切り開いた「美味しい時短」は、多種多様な投稿レシピがランキングという媒体を通じて標準化されることで拡張され、レシピの作り手と料理の作り手が時に立場を入れ替えながら形成するネットワーク上の協働（創作―消費）空間において、より多様で実効的な家庭料理のデータベース化が進められてきたのである。

しかしながら、クックパッドにおける家庭料理の多様化には限界があることが指摘されうる。二〇一一年にクックパッド社に入社し、会員事業部サービス開発グループ長を務めた梶田岳志氏は、筆者によるインタビューのなかで、クックパッドを利用することの長所と短所について次のように述べている。

スーパーに行き、食材売り場の品揃えを見てレシピ検索すれば、料理が得意じゃなくても今晩作りたい料理を見つけられる。私は、これがクックパッドの便利さだと思っています。もしスーパーでレシピを検索できないなら、あらかじめ作る料理を決めてから買い物に行かないといけない。毎日そんな時間を取れるとは限りませんよね。忙しいとき、出来上がりのイメージを持たないまま食材を買うと、買った食材の組み合わせで作れる料理が見つけられないことが起きる。見つけられないからいつものレシピを作ると、マンネリ化した食卓になる。でも、クックパッドがあれば、こうした問題を解決できます。今日は買い物しながら検索して、翌日には自宅の冷蔵庫に入っている食材で検索すれば、どんな食材もムダにすること無く、作りたい料理が見つかります。

ただ、そういう使い方ばかりでは良くないんじゃないかと思うこともあります。レシピ検索は食材が少なく、簡単に作れて、家族が好みそうな味で、さらには少し目先の変わった料理を提案してくれる、とても便利なものです。そのぶん、自分や家族の欲求に向き合い、手持ちの状況をコントロールしつつ、ちょうど良い料理をつくりあげてゆく機会をスポイルしているのかもしれない。そのときどきの刹那的な欲求や状況をうまく「こなす」だけでは、次につながらないのではないかとも思っていました。

二〇一九年八月時点で約三一〇万レシピという膨大なデータ量に加え、多様な欲求に応えるべく改良の重ねられたランキングシステムによって、クックパッドを利用した家庭料理のあり方は、しばしば、その時々の状況における一時的な欲求を充足する最適解の選択という形をとるようになる。阿古が重視するような試行錯誤しながら自分や家族の好む味を築き上げていくやり方よりも、ランキング上位という形で保証された「みんなが好きな味」をその時々の欲求に即して受け入れる方がより負担が少ないことも確かである。こうした利用法は、二〇〇〇年代初頭に論じられたオタクたちの「動物」的な消費行動に近しいものにも見える。例えば、以下のようなオタクの消費活動を分析した文章は、「物語（作品）」を個々の料理に、「キャラクター」を食材や調味料に、「萌え要素」をタグ付けされる「売り」ポイントに置き換えれば、料理を「こなす」ようなクックパッドの使い方に、そのまま適用できるだろう。

彼らは、感情的な満足をもっとも効率よく達成してくれる萌え要素の方程式を求めて、新たな作品を次々と消費し淘汰している。

したがって、そこでは、何か新たな要素が発見されればキャラクターや物語の大勢はすぐ変わってしまうし、また、複数の要素を順列組み合わせで掛け合わせることで、類似した作品がいくらでも生産されてしまう。この集団的で匿名的な作品群のなかでは、従来のような作家性はきわめて小さな役割しか果たしていない。作品の強度は、作家がそこに込めた物語＝メッセージではなく、そのなかに配置された萌え要素と消費者の嗜好の相性によって判断されるのだ。[17]

『マート』読者がガーリック調味料に期待する「お店みたいな味」、クックパッドで多用される「隠し味」、「野菜たっぷり」、「ヘルシー」、「簡単本格」、「旦那も絶賛」、「コンロ周りも汚れない」といった表現は——それらがしばしば星印や音符やハートマークを伴うことが示しているように——まさに現代の家庭料理における「萌え要素」を示している。

さらに二〇〇〇年代初頭のオタク的消費の形態とは異なり、クックパッドでは「萌え要素と消費者の嗜好」のマッチング自体が、主な欲求のバリエーションをリスト化するランキングシステムによって半自動化されている。こうした利用法において、クックパッドにおける家庭料理のありかたは、『マート』に対する阿古の記述と同様の批判を免れえない。多種多様な「我が家の味」のデータベースを参考にして作った料理が「我が家の味」になるとは限らない。気に入ったレシピを保存し、似た状況や欲求に即して「リピ」し続けることは、阿古からすれば、「我が家の味」を築きあげていくことではないだろう。

【17】東浩紀、二〇〇一『動物化するポストモダン——オタクからみた日本社会』、講談社、一二八—一二九頁。

しかしながら、クックパッドにおける家庭料理のデータベース化は、「我が家の味」とは異なる回路を通じて欲求の追求と共同性の構築を結びつけうるものともなっている。新たなレシピがランキング上位へとかけあがっていくプロセスは、必ずしも既存の最大公約数的な欲求にかなう最適解が抽出されるプロセスとは限らず、多くの投稿者と閲覧者の間で様々な欲求がすりあわされることを通じて、新たな形の家庭料理とその意味を人々が共有していくプロセスともなりうる。

具体例を挙げよう。クックパッドにおいてホットケーキミックスの略称としてしばしば用いられる「HM」をキーワード検索すると、約六万四〇〇〇のレシピが投稿されていることがわかるが、この数は洋食の定番である「ハンバーグ」のレシピ数（約三万八〇〇〇）や、定番食材「鶏胸肉」のレシピ数（約六万二〇〇〇）を超えている。

「HM」ランキングの上位には、「タルト」、「チーズケーキ」、「スコーン」、「マドレーヌ」、「ウインナーパン」などが並び、単純なホットケーキのレシピはひとつもない。「HM」という表現は、『マート』読者における「ガーリック」と同じように、「ホットケーキミックス」という言葉が結びつくものとは異なるネットワークのあり方を示唆する。小麦粉、砂糖、食塩、ベーキングパウダーなどを主原料とするホットケーキミックスが、ホットケーキ用という既存の関係性を離れ、様々な洋菓子やパン料理と結び付けられていったことを「HM」というネーミングは表している。『マート』読者やクックパッドユーザーが展開するネットワーク上の協働空間においては、キャラクターが個々の作品を越境していくように、消費者の「萌え」を喚起する調味料や食材が個々の料理を越境していくのである。

さらに、萌え要素を通じたレシピの流通は、個々の家庭料理のあり方をも変えていく。通常、私たちは、個々の料理を特定の記述によって同定される確固たる実体として考えているが、実際にはそのような記述を特定することは極めて難しい。例えば「カレー」という料理を同定しうる記述とは何だろうか。直ちに思い浮かぶ「肉や野菜に水とルゥを加えて煮込んだ料理」という記述は、カレー粉を使用した料理を含まない。「ルウ」を「各種のスパイス」と言い換えれば済むようにも思われるが、その記述では例えば「鶏手羽元とトマトを水と黒胡椒とローリエで煮込んだ料理」も含まれてしまう。最終的な手段として「各種のスパイス」を「カレールゥやカレー粉に使われるスパイス」と定義すれば循環論法に陥ってしまう。

そもそも、「カレー（カリ）」という言葉は、南アジアに広く見られる「複数の香辛料を用いて調理したもの」という極めて多様な料理に共通する特徴が、旧宗主国イギリスの料理レパートリーのなかに組み込まれる過程において料理名へと無理やり変形されたものである。日本の「カレー」、イギリスの「カレー」、インドの「カレー」などと、一つの料理が様々なバリエーションを持つという仕方で捉えることさえ難しい。バリエーションの根幹にある共通項が抽出できないからだ。

とはいえ、私たちは特定の料理名からある程度共通した料理をイメージすることができるし、実際に料理を見ればその名前をある程度の精度で言い当てることができる。それは対象を同定する記述の束（対象の本質をなす要素の特定）によるものではなく、むしろ、認知言語学で言われるような「プロトタイプ」（その名称で呼ばれる事物の典型例）との類似性において様々な料理を把握しているからだと考えられる。一九六〇〜七〇年代に活躍した江上トミや飯田深雪や土井勝のレシピは、和洋中の新しい家庭料理のプロトタイプを提示してきたのであり、それらのレシピに従った料理が繰り返し作成されることを通じて、確固たる実体であるかのように思われる料理の数々が普及していった。

これに対して、小林カツ代の「美味しい時短」は、定型的な家庭料理のプロトタイプを不安定化させる効果を帯びる。ワンタンの皮で肉団子を包まないワンタンスープを「わがままなワンタン」と呼び、挽肉にキャベツを巻かず一緒に煮込む料理を「食べるとロールキャベツ」と呼ぶ。「包まないワンタン／巻かないロールキャベツ」でなく、遊び心あるネーミングを用いたのは、「手抜き料理」と思われることを避けるための苦心の策でもあるだろう。だが、定型的な家庭料理の名称を用いながらその典型例が持つ特徴（ワンタンの皮で包む、キャベツを巻く）を改変したレシピが広まっていけば、その名称と結びつく典型例もまた変化しうる。

カツ代の方向性をさらに推し進めたクックパッドにおいては、前述した「簡単節約☆鶏胸肉の焦げない塩唐揚げ」のようなレシピの広まりが「揚げる」という工程を欠いた料理へと「唐揚げ」のプロトタイプを変容させつつあり、あるいは、二〇一四年九月に検索キーワード数が急浮上したことをきっかけに生じた「おにぎらず」ブームが、既存の「おにぎり」に隣接する新たなプロトタイプを形成しつつある。そこでは、「簡単節約」、「台所が汚れない」、「ヘルシー」、「手が汚れない」、「簡単に見栄えがする」といった萌え要素は、個々の家庭料理の維持・改変・生成とその意味づけをめぐる、集合的なすりあわせの媒介となっているのである。

ここに至って、プロトタイプ論による家庭料理の把握はその有効性を維持しえなくなる。プロトタイプという考え方は、あるカテゴリーに含まれる対象を特定の記述の束によって定義しようとする古典的なカテゴリー論の発想を乗り越えるものとして二〇世紀後半に提唱された。例えば、前述したように「カレー」という料理を古典的なカテゴリー（特定の記述の束によって確定されるもの）として捉えることは難しい。だが、プロトタイプという発想をとれば、「肉や野菜に水と市販のカレールゥを加えて煮込んだ料理」を典型的な例（プロトタイプ）として、ドライカレーやサブジ（南アジアで広く食されている野菜のスパイス炒め蒸し煮）を典型例と部分的に類似する周辺的な例として位置付けることができる。

だが、プロトタイプ論ではなぜ典型例が分裂したり変化してしまうのかを説明できない。にんにくを用いた料理の典型例は、「ラーメン二郎」のような料理と「ガーリックトースト」のような料理に分裂しつつある。「唐揚げ」と言われて想起される典型例は、ある人にとっては大量のサラダ油を注いだ深手の鍋で鶏肉を揚げたものだろうが、ある人にとってはフライパンに敷いた少量のサラダ油で鶏肉を炒めたものでありうる。あるいは、「おにぎらず」は、ラップの上に海苔↓ご飯↓具材↓ご飯の順でのせラップごと包んで真ん中を包丁でカットすることで、素手でご飯を触ることなくバゲットサンドのような華やかな見た目（「インスタ映え」）と具材の自由度（ローストビーフ、レタス、スモークサーモン、クリームチーズ、スパムなど）を実現したものであり、現在おにぎりを扱う専門店の一部では単におにぎりの一種として販売されてもいる。[18]

家庭で作られる料理において、料理名で示されるカテゴリー（例えば「ビーフストロガノフ」）を個々の具体例に等しく適用される述語（牛肉と野菜をデミグラスソースで煮込んだもの）によって確定することはできない。ビーフストロガノフの牛肉を豚肉に変えても、それは「ビーフストロガノフ（のようなもの）」と呼ばれうるし、「唐揚げ」を揚げずに炒めてもそれは「唐揚げ」でありうる。個々の料理は家庭における固有の文脈において作られ食べられるものであり、そこでは、他の料理や他の事物がその文脈を逸脱させるものとして介入することが常に可能である。[19]「おにぎり」にバゲットサンドやインスタ映えが介入して「おにぎらず」を含むものへとその典型例が変化しつつあるように。プロトタイプによる外在的な認識の妥

【18】首都圏を中心に約五〇店舗を展開する株式会社グゥーが扱う「おむすび」商品三三個のうち七個が、具材を海苔と米飯で挟んでカットしたものとなっている（http://www.gout.co.jp/product/honshu/omusubi.html#content）。

【19】個々の家庭料理を、普遍的な本質を持たず、他の事物の介入によってそれに固有の文脈から逸脱しうるものとして捉える本書の記述は、近藤和敬『〈内在の哲学〉へ――カヴァイエス・ドゥルーズ・スピノザ』（二〇一九年、青土社、四二一頁）から示唆を得たものである。

当性は、私たちが内在する諸関係の暫定的な効果に他ならない。

したがって、クックパッドにおける動物的消費が常に「動物」的であるとは言い切れない。それは理性的な人間による認識の基底をなすカテゴリー自体の再編を駆動するものともなりうるからだ。

「分析する私」が依拠する様々なカテゴリーが、「暮らす私」の実践において不安定化され改変され再編されていく。それは個々の料理だけでなく、「手作り」や「我が家の味」といった暮らしを意味づける諸概念にまで及んでいる。カツ代の「美味しい時短」を発展的に継承したクックパッドの膨大なレシピ群において、「手作り」と「手抜き」の二項対立は「簡単本格」や「ダシが決め手！」といったタグが示す、より多様な差異のなかに解消される。はるみの「ゆとりの空間」を発展的に継承した『マート』読者の実践において、「我が家の味」は、絶対的な中心を持たないネットワーク状の協働消費—創作を通じてその輪郭を失っている。暮らしを捉える諸概念が暮らしのなかで定着しながら変容していく。こうした循環的な運動において、暮らし（図）を分析する知（地）という図式は、分析（図）を駆動する暮らし（地）という図式に転倒されるのである。

ホワイトキューブのもそもそメシ

以上で検討してきたノンモダン期の家庭料理のあり方を一言で表すならば、家庭という固着したコンテクストにおいて蓄積される「我が家の味」という圏域から離脱して暮らしを自由にデザインしていこうとする試み、として把握できるだろう。それは、スーパーやマスメディアという公的な空間において均質化された食材や計量器具やレシピといった標準的な媒体が普及していった一九六〇~七〇年代の食の標準化に対して、市場に投下される膨大な商品やデータベースやランキングシステムといった標準的な媒体を、家庭料理が作られ食べられる私的な空間そのものに(私的/公的という区分自体を弱体化させつつ)ダイレクトに接続していく運動である。

日常的な空間を標準的な媒体で満たしていくことによって、個人の自由な欲求の追求と共同性の構築が接続されていく。こうした運動は、「生活空間のホワイトキューブ化」という仕方で捉えることもできる。ホワイトキューブとは、現代アートを多く扱う美術館に見られるような、白い壁と均質な照明によって構成されるフラットな展示空間のことである。既存のコンテクストに縛られない可変性と柔軟性をもつホワイトキューブは、作品や作家の芸術性のみを純粋に開示することを可能にしてきた。

だが、こうしたホワイトキューブのあり方は、いまや美術館の敷地を離れ、社会の全域に浸透しつつある。近年盛んになされている地域アートイベントは、地域に固着したコンテクストを非文脈依存的な現代アートの観点から再構成／拡張しようとする試みである。あるいは、ホワイトキューブに近いフラットな展示空間として店舗を構成する「無印良品」や「ユニクロ」は、過度の個性を持たないがゆえに購入者の個性を最大限ひきだしうるシンプルな商品を展開することで多くの消費者から支持されてきた。これらの商品を通じてホワイトキューブ化された生活空間において、個々人は自身の生そのものを「作品」としてデザインし、自他によって鑑賞されるものへと変えていく。「インスタ映え」もまた、インスタグラムの豊富なフィルター効果を活用してSNS上に展示される魅力的な生活のデザインに向けられる評価のことでもある。

家庭をそのままセレクトショップのような消費空間に変えようとする『マート』

読者、家庭料理を流動的な状況に即した最適解の瞬間的選択へと変換していくクックパッドユーザー。そこに賭けられているのは、生活という固着したコンテクストをデザイン可能なものに変換し、可変性と柔軟性を持つより自由な行為空間へと変容させていくことであり、そうした志向に現代を生きる私たちの多くが関わっている以上、私たちは『マート』の「サルベージパーティ」やクックパッドユーザーの「動物的」消費を笑うことはできない。

生活空間のホワイトキューブ化は、分析できるものの傍らに分析できないものを、デザインできるものの傍らにデザインできないものを、自由の傍らに不自由を増殖させていく。『マート』読者が旺盛な消費活動を通じて「所帯じみた気分」を解除するネットワークを構築しようとすればするほど、「所帯じみた気分」の突発的な噴出が強調されるだろう。クックパッドユーザーが、フレキシブルな欲求の探索を進めれば進めるほど、単調に料理をこなす事態にはまり込むことにもなるだろう。『マート』読者に対する阿古真理の批判は、ノンモダンな家庭料理が孕む暗がりをたしかに突いている。だが、その暗がりは、彼女が希求する道筋とは異なる仕方で欲求の追求と共同性の構築を結びつけていく闘いのなかで生みだされていることもまた確かである。

家庭料理という日常的で馴染み深く、だが極めて厄介な営みにおいて、私たちは世界を外側から観察し分析し制御する十全たる主体ではありえない。「暮らす私」は「分析する私」から逃れ、「分析する私」は「暮らす私」から逃れていく。本章冒頭に引用した『ぼのぼの』の台詞が示すように、分析する主体としての私たちの認識（「生きていくのに必要なのに」）と生きものとしての私たちの営み（「空を飛べない」）が常に一致しないがために、私たちはどうしたって「バカ」なのである。「ジョニーズガーリックシーズニング」や「簡単節約☆鶏胸肉の焦げない塩唐揚げ」のような「色が変わる石」を見つけたところで、ふと気づいたら「もそもそメシ」を食べることになる。だが、それはいつも同じ「もそもそメシ」ではない。どれだけ連続的なものを想定しようとも暮らしは変わる、暮らしを捉える視点ごと変わっていく。希望と窮状が生みだされ、分析する私と暮らす私の狭間において、新たな絶望を抱えながら新たな道筋が模索されていくだろう。

さて、私は明日なにを食べるのだろうか？

実食！小林カツ代×栗原はるみ レシピ対決五番勝負（最終戦）

第5戦

夜の汁物

夕食の汁物はなかなか決まらなかった。

「主菜」、「副菜」、「ご飯」、「汁」というカテゴリーに沿って
一品一品が明確な役割をもつカツ代のレシピに対して、
その多くがホームパーティ風のはるみレシピは、
単体でも存在感があって既存のカテゴリーに当てはまりにくい。

このためカツ代のレシピから単品でもいけそうな
大阪風のそうめん入り味噌汁を選び、
はるみのレシピから色鮮やかなカボチャの冷製スープを選んだ。
見た目ではそうめん汁が圧倒的に不利だけれども
大阪出身のカツ代ならあるいは、と考えたのだが……。

なすとそうめんの汁

KOBAYASHI Katsuyo

小林カツ代

作り方

1. なすはへたを落とし、縦に縞に皮をむく。縦半分に切って横に5㎜厚さに切る。ミョウガは縦半分に切って斜め薄切りにする。
2. そうめんはかためにゆで、よく水で洗って水けをきる。
3. 出し汁になすをいれて火にかけ、ふたをして柔らかくなるまで煮る。火を弱めてみそを溶き入れ、フツフツしてきたらそうめんとみょうがを加えて火をとめる。
4. 椀に盛り、練りがらしをのせる。

（『決定版　小林カツ代の毎日おかず』、174頁）

かぼちゃの冷たいスープ

KURIHARA Harumi

栗原はるみ

作り方

1. かぼちゃは種とわたを取って皮をむき、ひとくち大に切る。耐熱容器にペーパータオルを敷き、かぼちゃを並べてラップをかける。電子レンジで4～5分加熱。竹串を刺し、まだかたければ再加熱する。
2. 長ねぎは薄い小口切りにする。
3. フライパンを中火にかけてバターを溶かし、2.の長ねぎを炒める。しんなりしたら1.のかぼちゃを加えて軽く炒める。
4. 3.に〔水、固形コンソメ、ローリエ、セロリの葉、パセリの葉や軸〕を加えて煮立て、アクを除きながら少し煮る。牛乳、生クリームを加えてひと煮立ちしたら塩こしょう各少々で味を調える。粗熱をとり冷蔵庫で冷やしていただく。

（『わたしの味――選びに選んだ80のレシピ』、16頁）

第5戦 夜の汁物

実食コメント

H・T…………

勝者 なすとそうめんの汁

理由 これは悩んだ。「かぼちゃのスープ」も十分美味しかった。しかもあのコンパクトなキッチンで、一からあのポタージュのような濃厚スープが出来上がったのかと思うと感動すら覚える。ただ、あの日の気温、人口密度、疲労の蓄積を思うと（すみません）、かぼちゃのスープはそんなことはお構いなしに濃厚な味でこれでもかと攻めてくるかのようだった。一方のそうめん汁は、そんな疲れた体にそっと寄り添い、しかもいつもとちょっと違う香りでハッとさせてくれる、まさにちょうどいい一品だった。味噌汁にチューブ辛子を入れるという、知っていそうで知らなかったテクニックを手に入れられたのもよかった。

K・S…………

勝者　なすとそうめんの汁

理由　かぼちゃの冷たいスープも美味しかったのですが、なすとそうめんの汁の意外なインパクトに敗れました。お味噌汁に練りがらしとみょうが！　勝因はこれにつき、そうめん要らないのでは……、と言いたくなりますが、そうめんがなかったらかぼちゃに一票入れていた気もします。意外なほどハードな展開となったこの企画、ボロボロになった胃腸・心身を癒すお椀でした。ごちそうさまでした。

M・I…………

勝者　なすとそうめんの汁

理由　圧倒的に染み渡った。カツ代がいたらもう外で飲み歩かない。最初は「そうめん入れるの？」と思ったけどこれが予想外にうまい。ミョウガ、練り辛子も最高！　胃袋摑まれました。かぼちゃスープは、もう少しかぼちゃの甘さとコクを生かした味付けの方が個人的には好み。

T・K…………

勝者　なすとそうめんの汁

理由　かぼちゃスープは美味しい。本当にはるみには安定感がある。しかし、そうめんの味噌汁には、安定感を超える驚きがあった。最後に辛子を落とすのは、茶懐石の味噌汁に見られるテクニックで、味の焦点が定まる。注目すべきは、そうめんとナス、茗荷を使った「夏の冷蔵庫から残り物を入れました」とでも言うべき味噌汁に、このテクニックを組み合わせたことだ。残り物で作った料理は、往々にして味の焦点が定まらない。しかし、この味噌汁においてはナスとからみあった辛子が具材としてのナスを際立たせる一方で、味噌汁と茗荷でいただくそうめんのボリューム感という安心感もある。家庭料理として非常に完成度が高いのだ。家庭料理の「普段使い」という制約の中で、味わいを追求し、ひとつの定番に仕立てあげるカツ代レシピのひとつの完成形であろう。

A・K…………

勝者　なすとそうめんの汁

理由　かぼちゃのスープは、ミキサーや濾し器にかけないことでカボチャの食感を残しながら手間も省き、簡単で食べ応えもありながら爽やかな味になっていた。が、「かぼちゃの冷たいスープ」という料理名から想像される範囲に留まった。一方、カツ代のなすとそうめんの味噌汁は、さっと茹でた薄切りの茄子、火を止めた後に加えるみょうが、そうめん、練り辛子の組み合わせが、味と食感の両面でとてもよく効いている。外観は地味な味噌汁にしか見えないが、本格的な料理屋のような組み合わせの妙と家庭料理としての食べ応えが両立している、鷹揚な人柄の奥に秘めた才気を感じさせるレシピだった。

結果　5―0で小林カツ代「なすとそうめんの汁」

最終結果

小林カツ代……3勝（13票）

栗原はるみ……2勝（10票）

勝者

小林カツ代

レシピ対決五番勝負を終えて

料理を作り、味わい、評価する。私と友人たちのコメントは楽しそうに見えるかもしれないし、たしかに楽しさはあったけれども、同時に全員がこれまでにあまり経験したことのない激しい疲労を感じた一日だった。調理した全一〇品で使用した食材・調味料は七〇品目以上。買い出しは数回に及び、彩りのミントを探して高級スーパーをさまよい、皿や器をなんとか使いまわして綺麗な見た目になるように苦心した。半ばやけになってビールと日本酒をあおりながら野菜を刻み続け、終電が出る直前にギリギリ全ての勝負が終わった際には全員が思わず拍手をしたことを思いだす。

見栄えがして工夫が感じられる料理を作るのは楽しいし、ワイワイ食べるとなお美味しい。だけど、それを用意するのは本当に大変で、時折わかりにくいレシピの指示と厳しい時間配分に追われて調理していると、全て放りだして近所のファミレスにでも行きたくなる。

でも、考えてみれば、この素敵で過酷な事態はそのまま料理研究家にとっての日常だ。

料理だけでなくそれを取りまく空間をこの上なく素敵に見せるはるみの料理本は、「栗原さんちみたいな楽しくてゆとりのある生活を送りたい」と思わせる。だが、それは隅々にまで気を配り創意工夫しながらコントロールされた生活を商品化したものに他ならない。彼女は水面下の激しいバタ足を決して見せることなく、素敵な「ゆとりの空間」を夢みる多くのファンを獲得してきた。本格的な味わいの「スパゲッティミートソース」には少々のウスターソースが、ありふれたミートボールを洗練させた「煮込みれんこんバーグ」には大さじ1のケチャップが入っている。そのレシピは、家庭にある食材をフルに活用しながら――完全に同じにはならなくとも――「お店で食べる味」へと確実に近づける。

見ための印象とは違って、実際に作ってみるとカツ代のレシピにはプロの料理人を思わせるアイディアや技術がふんだんに詰まっていることがわかる。ただ、その前提には「家庭料理とはこういうものだ」という確信があり、それを少しでも手軽に美味しく食べさせるために、希有な才能と努力が注がれている。でも、私たちは「家庭料理とはこういうものだ」という確信から逃げだそうともしてきたのではないだろうか。作りやすく飽きのこない「キューカンバーサラダ」が、子供の頃を思いだせばどうにも耐えがたい吐き気を呼び覚ますように。

はるみのレシピは、そのおしゃれな見ためと洗練された味わいによって、料理を囲む家庭の空間を少しだけ確実に変える。気のおけない仲間たちと行きつけの美味しいレストランで談笑しているような空気が生まれ、同時にウスターソースやケチャップが「お店の味」を雑多な生活のあり方に軟着陸させる。その身振りは、仕事帰りにデパ地下のしゃれた総菜をテイクアウトし、「自分へのご褒美に」と少し高いおつまみ缶詰をコンビニで購入し、有名店の調理済み食材をネットで取りよせる現代の私たちの生活に染みついているものだ。

だから、はるみのレシピには「美味しいけど、まぁこんなものか」と感じてしまう。「こないだイタリアンの店で食べたニョッキの方が旨かったな」などと呟いてしまう。コメントで頻発したように、ありふれた家庭料理を高度な技術で再構築するカツ代の料理は、私たちの疲れた身体に染みわたる。しかしそれは、私たちの身体がすっかり「はるみ化」しているからなのかもしれない。そう考えれば、対決メニューを決めてレシピ画像を並べた際の「これはどう転んでもはるみの圧勝では？」という予想を覆したカツ代の堂々たる勝利は、家庭料理から離れたいのに離れられない、あるいは、離れたくないのに離れてしまった私たちの薄暗い窮状を示しているようにも思われる。

出身も年齢も異なる友人たちと個性的な料理研究家のレシピを食べ比べるという経験は、とても面白いものだった。西表島でゴルショークを食べて育ったH・Tさんと京都の日常的洗練を大事にするT・Kさんが、ともにデミグラスソースのことを「ドミグラス」と呼び、一児の父であるK・Sさんは「じゃが芋スパゲティ」を子供に作ってあげようかと想像した瞬間に妻の怒りを予想する。「カツ代がいたらもう外で飲み歩かない」と言うM・Iさんはきっと飲み歩きをやめないだろうし、はるみの上品なミートソースに怒りを覚えた郊外育ちの私は、身体に染みついた旨味への欲求を恥ずかしく思いもした。

　当日はお互いの仕事について話しこんだわけでもなく、恋愛話などで盛り上がったわけでもない。料理を作り感想を言いあうだけなのに、その人を構成するその人自身もうまく制御できないつながりが溢れてくる。楽しいけれど少し怖い時間を過ごしたように思う。

おわりに——暮らしはデザインできるか？

本書では、一九六〇〜二〇一〇年代における家庭料理をめぐる諸関係の変遷を、モダン／ポストモダン／ノンモダンという大まかな区分に沿って追跡してきた。ただし、それは、先行する時期の家庭料理のあり方が後続する時期のそれによって完全に取って代わられるような直線的な変化の軌跡ではない。

スーパーで購入した食材に手を加えて「我が家の味」を作りあげるモダンな家庭料理。簡単で美味しい時短やお店の味を組み込むアレンジを施したポストモダンな家庭料理。膨大な商品やレシピを探索して多様な暮らしをデザインしていくノンモダンな家庭料理。

そのいずれもが、現代を生きる私たちにとって多かれ少なかれ馴染みあるものだろう。土井勝の次男・土井善晴は父の確立した「正しい料理」を継承しつつ現代的状況に即したアレンジを施すことで幅広い支持を集めている。岩村暢子は食卓の変容を丹念に描きだす著作を刊行し続けている（『家族の勝手でしょ！——写真274枚で見る食卓の喜劇』、新潮社、二〇一〇年、『残念和食にもワケがある——写真で見るニッポンの食卓の今』、中央公論新社、二〇一七年）。季刊『栗原はるみ haru_mi』は、二〇一九年一〇月号で刊行一三周年を迎えた。「食べるラー油」はスーパーの定番商品となり、クックパッドの人気レシピを集めた多くの書籍が出版され、調理過程を早回し動画によって分かりやすく説明すると同時にそれ自体を「インスタ映え」するものに変換したとも言えるレシピ動画サービス「クラシル」（二〇一六年サービス開始）が急成長をみせている。

互いに異なる家庭料理のありかたが、齟齬や摩擦を含みながら共立する。そこには常に部分的でねじれた関係が生じている。江上トミや土井勝らが確立した定型的な家庭料理から小林カツ代や栗原はるみによるその脱構築に至る道筋は、食の簡易化のさらなる進展にも見えるだろう。だが、トミや勝のレシピの多くに記載されている「化学調味料」の表記は、「手作り」と「手抜き」の対立を無効化するカツ代やはるみのレシピからは消えている。その一方、彼女たちが提案したより手軽で美味しく華やかな家庭料理が広まることによって、本書冒頭で言及した江上トミの「小あじのムニエル」のような美味しくても地味で手間のかかる料理が食卓に供され難くなってきたとも考えられる。

あるいは、定型から脱構築に至る流れの傍らには、第一章で検討した『すてきな奥さん』の冷凍食品再加工料理がある。「手作り料理」の定義不可能性を逆手にとったその営為は、マート読者による「二次創作」や、TV番組『お願い！ランキング』（二〇〇九年〜）で有名になった「ちょい足しレシピ」に引き継がれていく。スーパーやコンビニの加工済み食品に少しのアレンジを加えることで食事をイベント化する。その身振りは、勝の「一手加わった」料理やカツ代の「知恵や工夫」に接近しながらすれ違っていく。

読者のなかには、土井勝や阿古真理の著作に現れるような「我が家の味」への固執を、まったくもって不要な旧習だと感じる向きもあるだろう。どれほど手の込んだ料理を作ろうとも結局のところスーパーやコンビニで購入した商品の再加工に過ぎないと考えれば、アレンジ料理は、「我が家の味」に向かうのではなく、一面においてて商品の選択と消費に他ならない毎日の食事に個性と潤いを与えてくれるものとなる。

その一方、暮らしの根幹をなす食事は単なる消費活動ではありえない、と考える人も少なくないだろう。「ミニマリスト」と呼ばれる人々が、膨大な商品群の探索と選択にもとづくライフスタイルから退いて必要最小限の持ち物だけで暮らすことを志向するように、多種多様な商品やレシピの氾濫のなかで簡素だが実のある食生活を求める動きも生じうる。二〇一六年に刊行された土井善晴の『一汁一菜でよいという提案』は、まさにそうした志向に応える著作である。善晴は、「ご飯、みそ汁、漬物（＝汁飯香）」からなる一汁一菜の食生活を、次のように提案している。

毎日三食、ずっと食べ続けたとしても、元気で健康でいられる伝統的な和食の型が一汁一菜です。毎日、毎食、一汁一菜でやろうと決めて下さい。考えることはいらないのです。これは献立以前のことです。準備に十分も掛かりません。五分も掛けなくとも作れる汁もあります。歯を磨いたり、お風呂に入ったり、部屋を掃除するのと同じ、食事を毎日繰り返す日常の仕事の一つにするのです。

「それでいいの?」とおそらく皆さんは疑われるでしょうが、それでいいのです。私たちはずっとこうした食事をしてきたのです。[1]

意地の悪い見方をすれば、善晴の「提案」が帯びる魅力は、本膳料理や懐石/会席料理の流れを汲む「一汁三菜」の型を培ってきた日本料理屋の技巧的な和食を家庭の食卓に紹介してきた土井家の自作自演の産物とも言えるだろう。土井勝は一四歳で堂ビル割烹学院に入学し海軍経理学校を経て一九五〇年代前半に「関西割烹学院」(後の土井勝料理学校)を設立しているし、土井善晴は大阪の老舗料理店「味吉兆」で修行している。

土井父子は、ともに日本料理の伝統を背景としながら家庭の実情に即して料理を指南/提案するという役割を果たしてきた。勝は「カレーライスでもいい。ただしそれはインスタントではない」と語り、善晴は「家庭料理が、いつもいつもご馳走である必要も、いつもいつも美味しい必要もないのです」と言う。[2] 彼らの優しい語

【1】土井善晴、二〇一六『一汁一菜でよいという提案』、グラフィック社、一二頁。

【2】同書、八九頁。

り口は、日本料理の伝統を知る賢人というイメージと素朴な「おふくろの味」を称える主婦の味方というイメージのあいだを常に往復することによって独特の魅力をおびている。

しかしながら、家庭料理における和食と料理屋の日本料理はそれほど容易に結びつくものではない。料亭や割烹の料理は、芸者遊びなどとも結びついた接待の料理、酒の肴の料理であり、家庭とは料理をめぐる条件が著しく異なっているとも言えるからだ[3]。例えば、土井勝が日本を代表する料理研究家としての地位を確立しつつあった一九七〇年代の前半、一介の板前であった江原恵（佐藤恵二）は著書『庖丁文化論』に次のように書きつけている。

日本料理は敗北した。外からは西洋料理や中華料理のチャレンジに負け、内にあっては、味覚のシュンを失うという決定的な事実がそれを証明している。加工食品の多くはほとんどが洋風のものばかりであるという現実を前にして、もはや日本料理の敗北を誰も否定することができないだろう［……］それでは、日本料理の未来史はどうあるべきか。［……］結論的にひとことでいうな

【3】遠藤哲夫、二〇一三『大衆めし 激動の戦後史──「いいモノ」食ってりゃ幸せか?』、筑摩書房、八五頁。

ら、特殊な料理屋料理（とその料理人）を権威の頂点とするピラミッド型の価値体系を御破算にすることである。［……］料理屋料理を、家庭料理の根本に還すことである。その方向以外に、日本料理を敗北から救うてだてはないだろう。【4】

料理屋料理を内部から解体しようとした江原（後に「江原生活料理研究所」を設立し「生活料理」の普及に努める）とは多分に異なる方向性ではあるが、土井父子もまた、日本料理と家庭料理の橋渡しをすることによって他の（その大半が女性である）料理研究家とは異なる地位を築いてきた。彼らのレシピには、伝統的な日本料理の正当性を損なうことなく、その技法を無理のない範囲で家庭料理に導入するための様々な創意工夫がみられる。

例えば、『庖丁文化論』と同じ一九七四年に出版された『土井勝の家庭料理』（おかず料理社）に収められた「松前焼」は、金網に昆布を敷いて火にかけ、その上に「生ガキ、車海老、生椎茸、春菊」を並べ、酒をふりかけながら焼き、大根おろしをいれたポン酢につけながらいただく料理である。レシピの傍らには、一人用の七輪

【4】江原恵、一九七四『庖丁文化論――日本料理の伝統と未来』、講談社、一九〇―一九一頁（括弧内は原文ママ）。

に金網を敷き魚介を並べた料理屋料理然とした写真が添えられている。ただし勝は「(家庭で作る際には)鉄板をガスにかけ、上にぬらした昆布を敷き、同様に焼いても結構です」と記すことを忘れていない。

これに対して、土井善晴の「鯛の昆布蒸し」は、生ガキと車海老ではなく入手しやすい鯛の切り身を使い、水にさらした昆布を敷いたフライパンに鯛とバターを載せて酒をふり、煮立ってからふたをして三、四分蒸し、最後に春菊を加えて一分ほど蒸したあと、ポン酢醤油と大根おろしを添えた料理である。

このレシピが掲載されている『土井善晴のレシピ１００』(二〇一二年、学研プラス)のアマゾン商品ページには、善晴の「この本には、いわゆる時短料理、手抜き料理はありません」というコメントが付記されている。だが、生ガキを塩水で洗い、車海老の背ワタを抜き、春菊を下茹でして冷水にさらす工程を要する勝の「松前焼き」と比べてしまえば、明らかにその調理時間は短い。「鯛に塩をふってしばらく置く」という手順を入れても一〇分程度で完成する。

もちろん、「鯛の昆布蒸し」は「松前焼き」の簡易版として提示されているわけではないから、時短料理とは言えない。だが、昆布の風味を魚介に移し春菊のほろ苦さを添えてポン酢でさっぱり締めるという料理の骨格は引き継がれており、さらに、バターを加えることで酒の肴ではなく主菜に相応しい力強い味わいが引きだされている。小かぶの皮を剥かずに二つ切りにして細かく切り込みを入れてから塩で一晩つける「小かぶのつけもの」（同書、八六頁）にも表れているように、善晴のレシピの多くは料理の軸となる部分を見極めて大胆に工程を省くことで短い調理時間を実現している。ただし、調理時間の短さが強調されることはなく、料理の軸となる部分については丁寧な処理が指示されるため、作り手にとっては比較的手軽に本格的な料理を作れる嬉しさがある。

善晴は、栗原はるみの『ごちそうさまが、ききたくて。』が出版された一九九二年に「土井善晴美味しいもの研究所」を設立し、テレビや雑誌で幅広く活躍してきた。「鯛の昆布蒸し」において、酒とバターで二重に魚の臭みを消しているように、彼のレシピには、はるみに通じる誰が作っても失敗しにくい工夫がある。鯛の旬を外れる夏場には他の白身魚やサーモンでも美味しく作れるという注記がなされているように、カツ代に通じる作り手を育てる工夫もある（筆者は現在このレシピを昆布蒸し全般に用いており、牡蠣やキノコ類、鶏肉や豚肉を使っても美味しい）。善晴のレシピは、定型的な家庭料理を解体・再構築するカツ代やはるみのレシピと実質的に似た効果（短い調理時間や味の安定化）を持ちながら、父・勝の確立した定型的な家庭料理の骨格を継承している。ポストモダンな解体・再構築の技法を取り入れつつ、モダンな家庭料理の骨子を抉りだすことでその「正しさ」が再生される。だからこそ、土井善晴の料理は、商品と情報の氾濫のなかで実のある食生活を求める人々にとって強い魅力と説得力を持っているのである。

料理の軸となる部分を見極めて大胆に工程を省くことで、現代の状況においても魅力的な「正しい家庭料理」を善晴は提示してきた。『一汁一菜でよいという提案』もまた、こうした手法を料理の献立自体に応用したものとして捉えることができる。

同書では、一菜（漬物）について詳しい言及はされず、ご飯についても「合理的な米の扱いと炊き方」が三頁にわたって説明されるだけで、具沢山の味噌汁がメインに据えられている。ただし、作り方のコツや各地の味噌の概説、善晴自身が普段作っているという「繕わない味噌汁」や「体裁を整えた味噌汁」の写真はあるが、その詳しいレシピが掲載されているわけではない。本文の大半を占めるのは、和食

＝家庭料理の根底に「一汁一菜」がある（「私たちはずっとこうした食事をしてきた」）ということの歴史的ないし理念的な説明である。

たしかに、トマトやピーマン、キュウリや厚切りベーコンといった具材を大胆に組み合わせた「繕わない味噌汁」には、一般的な味噌汁のイメージを揺るがすインパクトがある。だが、それもまた、土井善晴という希代の研究家が戯れに作った小品の迫力であるようにも見える。実際、本書のアマゾン商品ページには九〇を超えるレビューが寄せられているが、善晴の提案を受けて一汁一菜を実践しているというコメントは一割にも満たない。多くのレビューが語るのは、毎日ごちそうのような献立を作っても家族から何の反応もない苦しさから救ってくれた「家庭料理は美味しくなくてもいい」という善晴の言葉への感謝であり、多様な商品が氾濫する現在の食生活に対する批判の書としての評価であり、本質主義的な和食＝家庭料理観への賛同や疑義である。

『一汁一菜でよいという提案』と読者の反応が示しているのは、「暮らしをデザインすること」が規範化しつつある現代においてデザインを必要最小限に切り詰める「丁寧な暮らし」が特別な魅力をもちうる、ということだろう。だが、それもまたデザインの選択肢の一つにすぎないとも言える。特定の仕方で暮らしをデザインすることの良し悪しは事後的な評価（例えば「いいね」やフォロワー増加の数）によってしか正当化できない。あらかじめ特定の評価基準を正当化しようとすると恣意的な価値への依拠が必要になり、暮らしをデザインする自由が損なわれるからである。

ミニマリストにおける「必要最小限の持ち物」や「丁寧な暮らし」といった発想は、導入当初のインパクトが過ぎれば、いかにそれを持続しうるかという問題を生みだす。何が「必要最小限」なのか、何をもって「丁寧」と言えるのか。それ自体が実践を通じて常に変動し、暮らしの骨子を固定化しようとすると恣意的な価値への固執に至ることになる。善晴は「一汁一菜でやろうと決めて下さい。考えることはいらないのです」と言う。その優しい口ぶりは、膨大な選択肢の氾濫に疲れた心身を魅惑的に貫く。しかしながら、様々なオプションから選択することで暮らしを自由にデザインできるという発想に慣れ親しんだ私たちにとって、他の選択肢もありうることを考えないことは極めて難しい。とはいえ、そのような発想こそが選択肢の増大を促進し、善晴の提案を魅力的なものにしてもいるのだ。

本書の副題に掲げた「暮らしはデザインできるか？」という問いに対しては――ここまでの記述を通じて暗に示してきたように――単純にイエス／ノーで答えることはできない。暮らしをデザインすることは実践的にはたしかに可能だが、それは私たちの生にこれまでにない受動性をもたらしている。デザインできるものが増えるほど、デザインできないものも増える。『マート』読者が旺盛な消費活動を通じて「所帯じみた気分」を解除するネットワークを構築しようとすればするほど、「所帯じみた気分」が噴出することにもなる。クックパッドユーザーが、フレキシブルな欲求の探索を進めれば進めるほど、単調に料理をこなす事態にはまり込むことにもなる。『一汁一菜でよいという提案』の魅力は、それを真面目に実践しようとすると、味噌汁に白米だけでは満足できなくなってしまった私たちの不自由を強烈に示すものへと転化しうる。

前著『ブルーノ・ラトゥールの取説』（二〇一九年、月曜社）において、筆者は、世界を外側から捉える近代的な対応説（世界と言語の正確な対応に知の根拠を求める発想）でも、その内在性を暴露することで知の脱構築を目指すポストモダンなフィルター付き対応説（世界と言語の対応に社会的・文化的なフィルターの介在を措定する発想）でもないものとして、世界に内在する諸関係から一時的に世界に外在する知が産出されるとみなすノンモダニズムの発想を提示した。だが、それは単に新たな学問的発想として提示されたわけではない。むしろ、ノンモダニズムとは、私たちがすでに部分的に足を踏み入れつつあるノンモダンな暮らしに対応する学問的な知のあり方である。

生活が所与の必要性によって規定されるものではなく、自由にデザインできるものとされるようになること。それは私たちの生に新たな自由と不自由を与える。世界を外側から客観的に捉えているように見える言明（「私たちはずっとこうした食事をしてきた」）も、確固たる事実に見えるものを脱構築する言明（「家庭料理は美味しくなくてもいい」）も、世界の内側において諸関係を組み替えていく「デザイン」の下位要素となりつつある。暮らしを内在的にデザインしていく運動に対して、外在的および脱構築的な学問的分析は十分に機能しない。後者は前者に迅速に取り込まれつつあるからだ。

だからこそ、本書では、家庭料理をめぐるネットワークを内在的に追跡し、時代区分と暫定的に結びついた外在的な認識（モダン／ポストモダン／ノンモダンな家庭料理のありかた）を浮かびあがらせながら、それらの齟齬を伴う共立を駆動する諸関係を追跡するという構成をとった。

　異なる時代に根ざしながら現在も健在である様々な家庭料理のありかたは、互いに互いを攻撃しうる論理と倫理を備えている。筆者は、そのいずれかに全面的に賛同することはないが、それらを家庭料理に込められた「思想」や「イデオロギー」として外側から論評したわけでもない。むしろ、筆者自身にとって個々の家庭料理のありかたが肯定的にも否定的にも見えてくる局面を接続していくことで、それらの複合的な争いを浮かびあがらせ、家庭料理をめぐる戦線の広がりをたどることを試みてきた。

　とはいえ本書は、家庭料理に関わる膨大な営みのうち部分的なつながりを追ったものにすぎない。本文で言及されなかった様々な事柄を想起する読者も多いだろう。だが、その部分的つながりは、他の（既知あるいは未知の）諸関係との部分的なつながりを惹起させるように配置されている。[5]とりわけ本書の記述は、小林カツ代をはじめとするいずれも偉大な料理研究家たちの仕事に加えて、全編にわたって参照される阿古真理氏の著作に多くを負っている。それは、彼女の一〇歳下の弟世代に

【5】本書の記述から惹起されるものとして第一に挙げられるのはジェンダー論的な諸関係だろう。家庭料理の変遷が、夫と妻と子を基軸とする近代核家族や男女の役割分担（性分業）をめぐる社会的変化と結びついていることは間違いない。だが、本書では後者への言及を抑えることで、前者を後者に還元して分析することを避けている。むしろ、本文で記述した「おふくろの味」という伝統の創造、『すてきな奥さん』の冷凍食品再加工料理、『マート』読者の「ママ友グループ」における協働、『一汁一菜でよいという提案』をめぐる読者の反応などが示しているのは、近代核家族の弱体化や性分業平等化の進展（あるいは停滞）といった既存の図式では把握しきれない、ジェンダー論的な諸関係とその他の諸関係との齟齬と矛盾を伴う絡まりあいである。

あたる筆者が、共感と違和感をともに覚えながら、彼女が追跡した家庭料理をめぐる諸関係を追い、そこに新たな諸関係を付け加えながら考えてきた軌跡の産物でもある。第三章の末尾を「さて、私は明日なにを食べるのだろうか」という一文で終えたように、本書の記述がいかなる意味を持ちうるかは、それが日常的な暮らしの場に差し戻されるなかで吟味されることになるだろう。だから、最後に書きつける一文はこうなる。

さて、あなたは明日なにを食べるのだろうか?

謝辞

本書の第一章から第三章およびレシピ対決五番勝負は、ウェブマガジン「E!」(eureka-project.jp)に掲載された「家庭料理の臨界(1)~(3)」に加筆し再構成したものである。「E!」編集部、楽しくも過酷なレシピ対決企画に参加してくれた友人諸氏、写真撮影を担当してくれた澤宏司氏に深く感謝する。

久保明教

KUBO Akinori

一九七八年生まれ。一橋大学社会学研究科准教授。

大阪大学大学院人間科学研究科単位取得退学。

博士（人間科学）。

主な著書に、

『ブルーノ・ラトゥールの取説――アクターネットワーク論から存在様態探求へ』（月曜社、二〇一九年）、

『機械カニバリズム――人間なきあとの人類学へ』（講談社選書メチエ、二〇一八年）、

『ロボットの人類学――二〇世紀日本の機械と人間』（世界思想社、二〇一五年）、

『現実批判の人類学――新世代のエスノグラフィへ』（共著、世界思想社、二〇一一年）など。

「家庭料理」という戦場——暮らしはデザインできるか？

2020年1月18日　第1刷発行
2020年3月22日　第2刷発行

著者
久保明教

発行者
後藤亨真

発行所
コトニ社
〒274-0824
千葉県船橋市前原東5-45-1-518
TEL：090-7518-8826
FAX：043-330-4933
https://www.kotonisha.com

印刷・製本
シナノ印刷

ブックデザイン
宗利淳一

DTP
江尻智行

ISBN978-4-910108-01-8